El GRAN LIBRO de los juegos infantiles

El GRAN LIBRO de los juegos infantiles

Volumen II

Debra Wise
Ilustraciones de Sandy Forrest

Título original: *Great big book of children's games* (selección páginas: 163 a 298)
Publicado en inglés por McGraw-Hill Companies, Inc.

Traducción de Joan Carles Guix

Diseño de cubierta: Valerio Viano

Ilustraciones del interior y de cubierta: Sandy Forrest

Distribución exclusiva:
Ediciones Paidós Ibérica, S.A.
Avda. Diagonal 662-664 - 08034 Barcelona - España
Editorial Paidós, S.A.I.C.F.
Defensa 599 - 1065 Buenos Aires - Argentina
Editorial Paidós Mexicana, S.A.
Rubén Darío 118, cól. Moderna - 03510 México D.F.- México

© 2007 exclusivo de todas las ediciones en lengua española:
  Ediciones Oniro, S.A.
  Avda. Diagonal 662-664 - 08034 Barcelona - España
  (oniro@edicionesoniro.com – www.edicionesoniro.com)

© 2007 de la traducción, Joan Carles Guix

ISBN: 978-84-9754-301-9
Depósito legal: B-41.637/2007

Impreso en Hurope, S.L.
Lima, 3 - 08030 Barcelona

Impreso en España - Printed in Spain

SUMARIO

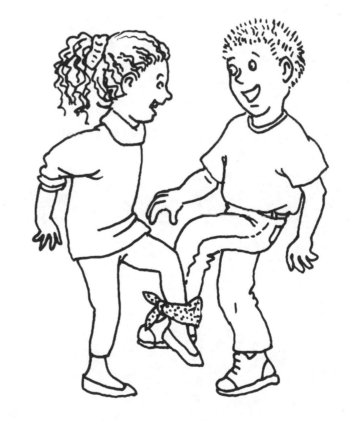

Introducción

Como tú, los niños también trabajan; lo hacen cuando juegan. Es tarea del niño explorar el mundo y averiguar qué función desempeña en él. Este viaje de descubrimiento se inicia cuando el bebé golpea por primera vez un juguete y observa sus colores llamativos, percibe (y a menudo saborea) la suavidad del plástico u oye el sonido de un sonajero. A medida que los bebés crecen, empiezan a convertirse en seres sociales, y al tiempo que se descubren unos a otros, también descubren los juegos.

Aunque los juegos se pueden disfrutar durante toda la vida, es precisamente en el período comprendido entre los 3 o 4 años y la adolescencia cuando desempeñan un rol fundamental en el desarrollo del individuo. Los niños juegan para divertirse, sin darse apenas cuenta de lo que, entretanto, están aprendiendo acerca de la organización, el juego de rol, la estrategia, la espontaneidad, el comportamiento, la paciencia, la resolución de problemas, la concentración, la coordinación, la confianza, la creatividad y el seguir unas reglas.

Los padres, familiares, profesores y cuidadores en general también tienen mucho que hacer. Es tarea de los adultos asegurarse de que la infancia del niño es lo más rica, estimulante y placentera posible. No es fácil lograrlo en nuestra era de la tecnología, cuando la televisión y los programas de ordenador hechizan las jóvenes mentes y disuaden de la actividad física. Aunque realmente existe un tiempo y un lugar en la vida del niño para ver la televisión y jugar con el ordenador, sólo a través del juego, tanto organizado como espontáneo, se pueden desarrollar plenamente su cuerpo, su mente y su espíritu. Este libro aspira a ser un recurso para llenar de diversión las horas, los días y los años de la infancia.

El gran libro de los juegos infantiles es una recopilación de cientos de juegos especialmente seleccionados para niños de edades comprendidas entre los 3 y los 14 años. Las instrucciones, claras y completas, refrescarán la memoria de los adultos acerca de las reglas de sus juegos favoritos de la infancia, tales como «Capturar la bandera», «Simón dice», «Las sillas musicales» y «El teléfono».

Los juegos están agrupados en capítulos atendiendo a ciertas similitudes básicas: material, lugar y tipo de acción. El capítulo «Juegos de pelota» se caracteriza, lógicamente, por el material necesario para jugar. «Juegos de agua» y «Juegos para viajes» reflejan los lugares en los que se suelen practicar. Asimismo, el capítulo «Juegos para

fiestas» se refiere a un evento especial en el que se juega. «Juegos de fuerzas» y «Carreras y relevos» están organizados según la acción. Sin duda, las posibilidades de mezclar actividades de diferentes capítulos para crear una secuencia lúdica son infinitas. Muchos de los juegos de carreras y relevos, por ejemplo, son excelentes actividades para fiestas.

Cada capítulo empieza con una breve introducción a la categoría a la que pertenecen las actividades que contiene. Luego, cada entrada no sólo ofrece instrucciones claras y completas para jugar, sino también una visión general con detalles sobre el número de jugadores, la edad apropiada, el lugar más adecuado para jugar y el equipo necesario. Sin embargo, el nivel de edad para un juego siempre es flexible, y las sugerencias incluidas en este libro sólo deberían considerarse como directrices generales a la hora de seleccionar los juegos. Por otro lado, los niños no son los únicos que se divertirán con las actividades de este libro, ya que muchos juegos son ideales para toda la familia, desde los niños de 4 años hasta los abuelos. Es una buena forma de fomentar la unión familiar.

El entorno lúdico, al igual que el nivel de edad, está sujeto a cambios. Muchos de los juegos para viajes, por ejemplo, se pueden practicar en casa sobre una gran hoja de papel, al igual que otros muchos de los demás juegos activos de exterior, tales como «Carrera de obstáculos» o «Seguir al rey», por ejemplo, se pueden modificar para jugar también en casa. Ni que decir tiene que casi todos los juegos de interior se pueden disfrutar fuera de casa en un bonito día soleado. Es más, muchos de ellos, y no sólo los incluidos en el capítulo «Juegos para viajes», son extraordinarios para los viajes. Incluso puedes llevarte el libro de viaje para pasar un buen rato jugando en el coche y en el lugar de destino.

Dado que este libro pretende fomentar las oportunidades de juego espontáneo, casi todas las actividades requieren sólo un equipo básico que se puede encontrar en la mayoría de los hogares: una baraja de cartas, lápiz y papel, música y toda clase de pelotas, y todo cuanto haya que comprar constituye una inversión escasa que sin duda se utilizará en casa durante años.

Al igual que la información sobre el quién, qué y dónde de los juegos es flexible, también lo son las reglas de juego. La mayoría de los juegos se transmiten a través del folclore verbal, de manera que las reglas varían ligeramente, o en algunos casos, muchísimo, de un lugar a otro y de generación en generación. Este libro incluye muchas de estas variaciones, de tal modo que los pequeños puedan seleccionar la versión que más les guste. En cualquier caso, aun siendo también flexibles las reglas, es una buena idea que el adulto les explique las instrucciones de juego antes de empezar a jugar. Esto les da la oportunidad de hacer preguntas —«¿Qué ocurre si...?»— y asegura que el adulto participe desde el principio en la supervisión de la actividad durante su desarrollo. Es necesario que el adulto esté siempre cerca de los niños mientras juegan con las actividades de este libro. Asimismo, además de explicar las reglas, el adulto puede, sobre la marcha, adaptar el juego a las necesidades y deseos de un grupo determinado. También es aconsejable estimular la imaginación y la creatividad para idear nuevas versiones y reglas, siempre, claro está, dentro de los límites de la seguridad y el sentido común.

Muchos expertos se refieren a los juegos como un microcosmos de la vida real. Para que resulten eficaces en el aprendizaje y desarrollo del niño, hay que jugar ciñéndose a una estructura y unas reglas, aunque hay que dejar un amplio espacio a la experimentación física, mental y social. Muchos de los juegos de este libro son competitivos, e incitan a los niños a querer ganar, pero también les ayudan a aceptar las inevitables derrotas. Y lo más importante es que estas actividades les enseñan a divertirse «juntos», algo que los ordenadores y la televisión no pueden hacer. Es esta capacitación para la interacción placentera lo que les reportará innumerables beneficios a medida que vayan creciendo y empiecen a diferenciar el trabajo del juego.

Preparativos para jugar

Antes de empezar a jugar, los jugadores deben formar los equipos, decidir quién saldrá primero o quién será el «capitán». Este proceso puede ser divertido. Un jugador puede exclamar rápidamente: «¡No, no quiero ser "capitán"!», asignándose dicho rol al último en gritar. En un juego de cartas los jugadores pueden seguir la tradición y dejar que la persona situada a la izquierda de quien reparte juegue primero. Cuando se trata de grupos, un adulto puede distribuir a los jugadores por equipos para asegurarse de que las habilidades están equilibradas, y en otras situaciones, los niños pueden arreglárselas solos.

¿Cara o cruz?

Tirar una moneda al aire es la forma más aleatoria de tomar una decisión y un modo muy justo de determinar qué jugador o qué equipo empezará a jugar. Un jugador toma una moneda en la palma de la mano o la coloca sobre la uña del pulgar, la lanza al aire y la recoge de nuevo con la mano. El otro jugador o un miembro del otro equipo pide «cara» o «cruz». Quien ha lanzado la moneda le da la vuelta sobre el dorso de la otra mano y la muestra. Si quien pidió ha acertado, él o su equipo jugará primero. La moneda se puede sustituir por una carta. En este caso, se lanza la carta, y mientras está en el aire se pide «boca arriba» o «boca abajo». La decisión se toma cuando la carta cae en la mesa o el suelo.

¿En qué mano?

Muy parecido a lanzar la moneda, «¿En qué mano?» también se usa para decidir quién jugará primero. Un jugador toma un objeto pequeño (canica, guijarro, brizna de hierba, etc.) en un puño y se lo pasa varias veces de una mano a otra detrás de la espalda. Luego muestra los dos puños cerrados y el otro jugador tiene que adivinar en cuál de los dos está el objeto. Si acierta, juega primero; de lo contrario, lo hace quien escondió el objeto.

Piedra, papel o tijera

Se puede jugar como un juego propiamente dicho o bien para determinar el orden de juego entre dos jugadores o equipos, o quién será el «capitán». Dos jugadores se colocan frente a frente, cada uno con una mano oculta detrás de la espalda. A la cuenta de «uno, dos, tres», muestran la mano rápidamente con uno de los tres gestos anteriores (véase ilustración): un puño cerrado (piedra), una mano abierta (papel) o un puño con dos dedos extendidos en «V» (tijera). Una piedra puede partir unas tijeras: piedra gana a tijeras. Unas tijeras pueden cortar el papel: tijeras gana a papel. Un papel puede envolver una piedra: papel gana a piedra. El ganador juega primero o el perdedor es el «capitán». Si ambos jugadores usan el mismo gesto, juegan de nuevo.

La carta más alta/ El dado más alto

Este método es una buena forma de determinar quién saldrá o jugará primero en los juegos de cartas o dados, aunque también funciona en cualquier tipo de juego siempre que se tengan a mano cartas o un dado. En «La carta más alta», cada jugador elige una carta de la baraja, y quien ha sacado la más alta (el as es la mayor) es el ganador. Y en «El dado más alto» cada jugador hace rodar un dado. Gana quien ha sacado mayor puntuación.

Pares y nones

«Pares y nones» es ideal para decidir quién saldrá primero o quién será el «capitán» cuando sólo van a jugar dos jugadores o dos equipos. Un jugador será «par» y el otro «non» (impar). Se colocarán frente a frente con las manos detrás de la espalda. A la cuenta de «uno, dos, tres» cada jugador mostrará una mano desde cero dedos (puño cerrado) hasta cinco (mano abierta). En algunas versiones se sacan sólo uno (mínimo) o dos dedos (máximo). Si el total de los dedos es par, el jugador «par» juega primero, y viceversa. Los jugadores pueden acordar varias rondas. Por ejemplo, quien gana dos de tres o tres de cinco.

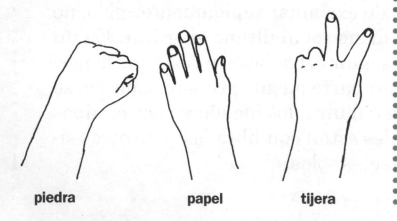

piedra   papel   tijera

Contar

«Contar» es la mejor manera de dividir en equipos cuando no es necesario equilibrar las habilidades o la fuerza de sus miembros. Los jugadores se alinean, a ser posible contra una pared. Si se necesitan dos equipos, por ejemplo, los niños empezarán a contar «uno, dos, uno, dos» desde un extremo de la fila y hasta llegar al otro extremo. Todos los jugadores «uno» integrarán un equipo, y los «dos», el otro. Para tres equipos, se contará del uno al tres; para cuatro, del uno al cuatro, etc.

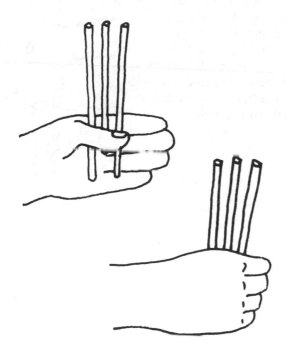

La pajita más corta

«La pajita más corta» es una forma rápida de determinar quién será el primer «capitán» en un juego de persecución («Corre corre que te pillo», por ejemplo). Originariamente se usaban briznas de heno, pero las pajitas de refresco o las ramitas funcionan igual. Cada participante necesita una pajita, y una debe ser más corta que las otras. Un jugador toma las pajitas con el extremo inferior oculto en el puño, de manera que todas parezcan iguales (véase la ilustración). Cada jugador toma una pajita, y quien saca la más corta es el «capitán».

Un avión

Recitar una tonadilla es una forma muy divertida de elegir a quien será «capitán». Los jugadores forman un círculo o se alinean, y uno de ellos (generalmente el que ha sugerido el juego) se coloca en el centro para contar (el «contador»). El contador recita la tonadilla tocando o señalando a un jugador diferente (incluido él) al decir cada palabra o sílaba. A veces, los niños muestran un puño o los dos, una mano o dos, y el contador va tocando cada puño o cada mano. Los jugadores van quedando eliminados cuando les corresponde la última palabra o sílaba. Entonces, abandonan el círculo, sabiendo que no serán «capitán». La cuenta continúa hasta que sólo queda un jugador. Éste es el «capitán». Veamos algunas tonadillas populares:

Un avión
vuela por los aires,
tira una bolita
adónde va a parar:
a Constantinopla
(cada vez se sustituye por otra ciudad).

Pluma, tintero, papel,
para escribir una carta
a mi querido Miguel,
que se ha marchado esta tarde.
Una, dos y tres.

Pito, pito, gorgorito,
adónde vas tú tan bonito,
a la acera verdadera,
pim, pom, fuera.

Elige un número

«Elige un número» es un buen modo de determinar el orden de juego en un grupo grande. Se escribe un número en tantos pedacitos de papel como jugadores haya (del 1 al 20 para 20 niños, por ejemplo). Luego se doblan por la mitad y se meten en un sombrero, cuenco o bolsa. Cada jugador saca un papelito y mira el número que le ha correspondido para saber si saldrá el primero, el segundo, el tercero, etc. «Elige un número» también se puede usar para elegir equipos. En este caso, se preparan tantos papelitos como jugadores haya, esta vez escribiendo «equipo 1» en la mitad de los papelitos y «equipo 2» en la otra

mitad. Al sacar el papel, cada jugador sabe a qué equipo pertenece.

Tonto el último

«¡Tonto el último!» es una exclamación habitual en verano en la playa y la piscina. Aunque es un juego ideal para asegurar un buen chapuzón, también se puede usar para decidir quién es el «capitán». Quien inicia el juego grita: «¡Tonto el último que llegue al árbol!» (la pared, la farola, etc.). El grupo corre hacia el objetivo y el último en llegar es el «capitán».

Mano sobre mano

«Mano sobre mano» es ideal para determinar qué equipo jugará primero en un juego que requiera el uso de un bate. Un jugador empieza sujetando el bate del revés por la base. El segundo, del otro equipo, lo sujeta a continuación de la posición que ocupa la mano del primer jugador, hacia arriba. El primer jugador hace lo mismo, y luego el segundo, y así hasta llegar, mano sobre mano, hasta el mango del bate (véase la ilustración). El equipo del jugador cuya mano es la última, juega primero. En otros juegos sin bate, se puede sustituir por un palo, una rama o el mango de una escoba.

Carreras y relevos

Nada es tan emocionante como hacer una carrera, excepto, claro está, ganarla. Las carreras de este capítulo son muy variadas, y en ellas, los niños deben correr, caminar, trepar o saltar. Asimismo encontrarás carreras de relevos, de habilidad y de equilibrio. Algunas carreras son individuales y otras de relevos, que requieren la participación por equipos. Muchas de ellas son ideales para una fiesta, aunque se pueden organizar en cualquier otro lugar y ocasión. Algunas necesitan un equipo especial, que como siempre se hace constar en cada entrada, y también si es preferible organizarlas dentro o fuera de casa. Todas estas «pruebas atléticas» requieren la supervisión de un adulto para asegurarse de que nadie resulta lesionado.

Carrera de obstáculos

Los jugadores compiten contra el cronómetro
para navegar en un recorrido de obstáculos.

Jugadores: 2 o más, y un adulto que organiza la carrera y supervisa

Edad: 3 en adelante

Lugar: Fuera de casa, en un patio o jardín grande, parque o campo

Equipo: Obstáculos para crear el recorrido (maquinaria cortacésped, equipo de parque infantil, manguera de jardín, cuerda, aspersor, hula hoops, cajones, balones de playa, platos de papel, etc.); cronómetro o temporizador; lápiz y papel para anotar; pelotas y otros enseres (opcional)

Las carreras de obstáculos son divertidas y emocionantes. El objetivo es realizar una serie de pruebas físicas más deprisa que los demás, y su dificultad depende del nivel de destreza de los participantes.

La presencia de un adulto es fundamental para supervisar la construcción del recorrido y asegurarse de que nadie resulta lesionado. Es extremadamente importante que los obstáculos no supongan un peligro para los participantes. Los jugadores participan de uno en uno. Sin embargo, construir la pista supone ya media diversión. Sería pues aconsejable animarlos a aportar sus ideas (y su energía) a la tarea.

Las carreras de obstáculos se pueden organizar en un patio, un jardín, un parque o cualquier área de juego similar. En un patio o jardín, por ejemplo, podría incluir sillas y tumbonas, ideales para trepar y pasar por debajo gateando o arrastrándose. Asimismo, se pueden colocar hula hoops en el suelo para que los jugadores pisen en su interior dando saltitos. También se puede saltar sobre una hilera de ramas o una red sujeta entre dos árboles. Una caja de cartón de gran tamaño puede hacer las veces de túnel, y en verano, cuando el calor aprieta, un aspersor automático refresca y divierte. Las posibilidades son infinitas. También se pueden incluir columpios, estructuras enrejadas de parque infantil y toboganes si la carrera es para niños mayores de 6 años.

Para complicar un poco las cosas, los jugadores podrían negociar el recorrido con un balón de playa o una pelota de ping-pong en equilibrio en un plato de papel, y si aun así resulta demasiado fácil, ¿por qué no probar con globos de agua? Otro hándicap consiste en llevar un sombrero grande mientras se corre; si se cae, de vuelta a la línea de salida.

La carrera puede implicar asimismo reglas «tontas», como dar tres saltos sobre el propio terreno tras haber superado un obstáculo o cantar una canción al llegar a un determinado punto del recorrido. Los jugadores podrían ladrar, croar o simular que están volando aleteando con los brazos mientras saltan a la pata coja. A los niños más pequeños les encantan estas tonterías.

Una vez trazado el recorrido, el adulto que supervise el juego debería mostrar a los niños cómo superar cada uno de los obstáculos. Luego, los jugadores, por turnos, recorren la pista mientras el supervi-

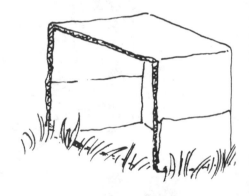

sor cronometra el tiempo. El supervisor dirá: «¡Preparados! ¡Listos! ¡Ya!», pulsando el cronómetro. Si un obstáculo no se supera correctamente, los demás participantes gritarán y deberá intentarlo de nuevo hasta conseguirlo. El tiempo de cada jugador se anota en una hoja de papel, y el que completa el recorrido en el menor tiempo posible es el ganador.

Una versión de este juego es «Carrera de obstáculos-seguir al rey», en cuyo caso el niño debe recordar lo que hizo el jugador anterior en cada punto del recorrido e imitarlo.

Los dedos gordos

El objetivo de este juego es rodar por la moqueta o la hierba dedo con dedo.

Esta sencillo juego es muy divertido para los niños pequeños. La idea de juntar los dedos de los pies y rodar por el suelo parece fácil, pero los jugadores acaban riendo a carcajadas. Es un juego de cooperación, no de competición.

Dos participantes se tumban en un col-

chón, moqueta o en la hierba con los pies descalzos. Es preferible jugar a «Los dedos gordos» en un lugar cálido, ya que los niños van sin zapatos. A una señal, dos jugadores intentan rodar por el suelo a la vez manteniendo los dedos juntos todo el rato.

Si participan cuatro o más jugadores y el lugar es lo bastante espacioso, se pueden formar equipos y organizar una carrera. El primer equipo que llega a la meta sin haber perdido el contacto con los dedos gordos es el ganador.

Hilo y manzana

En este clásico juego de Halloween, los jugadores compiten para comer manzanas suspendidas de cuerdas.

«Hilo y manzana» es una carrera habitual en Halloween, aunque también suele ser muy popular en las fiestas de cumpleaños. Requiere un poco de preparación, aunque vale la pena; es un juego muy divertido y gusta a los niños de todas las edades.

Primero un adulto debe colgar una manzana de una cuerda para cada participante. La forma más usual de hacerlo consiste en ensartar una aguja de zurcir con un hilo que lleva un botón grande anudado en un extremo y que luego atraviesa la manzana de manera que el botón queda sujeto en la base. (También se puede colgar del tallo si es resistente.) Se pueden sustituir las manzanas por galletas, más fáciles de colgar y de comer. En cualquier caso, las manzanas o galletas se deben suspender de tal modo que queden colgando a la altura del mentón de los jugadores. Se sujeta una cuerda para tender la ropa en un extremo y el otro del área de juego y luego se cuelgan las manzanas de la cuerda.

Cada niño se coloca frente a la manzana con las manos a la espalda. A una señal, cada cual intenta morder la manzana (o galleta). Si no lo consiguen, se les puede dar una pista: bambolearla adelante y atrás, empujándola con la mejilla o la frente, y luego intentar morderla cuando vuelve. El primer jugador que consigue comérsela hasta el hueso o el que ha comido más una vez transcurrido un límite de tiempo es el ganador.

Luz roja, luz verde

Los jugadores deben obedecer el código de circulación mientras corren hacia el «semáforo».

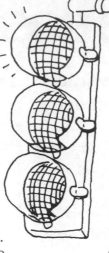

Jugadores: 4 o más, y un adulto que supervise

Edad: 5 a 10

Lugar: Fuera de casa, en la hierba o pavimento

Equipo: Piedras, ramas o tiza para marcar la línea

«Luz roja, luz verde» es un clásico juego de carrera. Una de las razones de su popularidad durante generaciones tal vez sea que es ideal para un grupo de niños de edades muy variadas. En «Luz roja, luz verde», la habilidad para seguir instrucciones y detenerse y avanzar a una señal es tan importante como la velocidad. El jugador que se mueve el mínimo posible durante la carrera tiene muchas posibilidades de ganar.

En primer lugar, se elige un jugador que será el «semáforo». Se situará de cara a un árbol o pared. Hay que trazar una línea de salida a alrededor de 6-9 m del semáforo. Los demás jugadores se colocan uno junto al otro detrás de la línea. El objetivo del juego es ser el primero en llegar al semáforo.

El juego se inicia cuando el semáforo, que está de espaldas a los demás, dice: «¡Luz verde!». Ésta es la señal para que los corredores empiecen a avanzar lo más rápido posible. En cualquier momento el semáforo puede decir: «¡Luz roja!» y se da la vuelta para mirar a los participantes. Al oír esta señal, los corredores deben detenerse de inmediato. Si el semáforo descubre a alguien moviéndose, éste debe regresar a la línea de salida.

De nuevo se da la vuelta y dice: «¡Luz verde!». El juego continúa hasta que un jugador alcanza al semáforo. Es el ganador y será el semáforo en la ronda siguiente.

Mamá, ¿puedo?

Los niños deben seguir las instrucciones de «Mamá» para llegar a la línea de meta.

Jugadores: 4 o más, y un adulto que supervise

Edad: 6 a 12

Lugar: Fuera de casa, en la hierba o pavimento

Equipo: Piedras, ramas o tiza para marcar las líneas

En «Mamá, ¿puedo...?», la figura maternal es un poderoso «gobernante» que, si lo desea, puede resultar bastante déspota con sus «hijitos». Es pues fácil comprender que todos quieren desempeñar este rol. ¿A qué niño no le gusta dar órdenes y ser el amo de la situación? Afortunadamente, también es divertido ser uno de los «hijitos» que corren. Lo ideal es que todos los jugadores tengan la oportunidad de desempeñar los dos roles.

Primero se marca la línea de salida y de llegada, a 8 m de distancia, y se elige a un jugador para que sea «Mamá». Mamá se sitúa en la línea de meta, de frente a los demás participantes, que se alinean en la salida.

Cada jugador, por turnos, pide permiso a Mamá para avanzar. El primero debe preguntar: «Mamá, ¿pue-do dar tres pasos de gigante?», a lo que Mamá responderá afirmativa o negativamente. Por ejemplo, puede decir: «No, pero puedes dar diez pasitos de bebé» o «No, pero puedes dar tres saltos». Sin embargo, esta instrucción no es suficiente para que el jugador se mueva. De nuevo tiene que pedir permiso: «Mamá, ¿puedo?». Si Mamá dice «Sí, puedes», el jugador avanzará según las instrucciones recibidas. Pero Mamá puede reconsiderar su decisión y decir: «No, no puedes», en cuyo caso el jugador no podrá moverse.

Si un participante olvida pedir permiso para avanzar o lo hace erróneamente, debe volver a la línea de salida.

El juego continúa hasta que un jugador, elegido por Mamá, como es natural, cruza la línea de llegada y es declarado ganador.

Relevos

Un buen trabajo de equipo y pies ligeros son elementos básicos en esta carrera.

Jugadores: 6 o más (en equipos iguales), y un adulto que supervise

Edad: 5 a 14

Lugar: Fuera de casa, en la hierba o pavimento

Equipo: Testigo; piedra, rama o tiza para marcar las líneas

El clásico juego de «Relevos» es una competición que ya se practicaba en los Juegos Olímpicos de la antigua Grecia. Aunque la carrera de relevos se ha modificado tanto que incluso es ya difícil reconocerla, la versión clásica es la perfecta combinación de trabajo en equipo, ritmo y velocidad.

Se forman dos o más equipos de tres a cinco jugadores. Dependiendo de las edad, la línea de meta se puede situar entre 40 m y 100 m de la de salida. Los corredores se colocan a intervalos regulares a lo largo del recorrido. Si por ejemplo cada equipo está formado por cuatro atletas y la carrera es de 100 m, se situarán uno en la salida, el segundo a 25 m, el tercero a 50 m y el último a 75 m.

El primer jugador de cada equipo lleva un testigo (un listón de madera) de 30-60 cm de longitud. Cuando todos están en posición, el adulto supervisor grita: «¡Preparados, listos, ya!». El primer corredor de cada equipo saldrá a la máxima velocidad hasta el segundo y le entregará el testigo. El segundo hará lo mismo hasta el tercero y así hasta llegar al último, que correrá hasta la meta. Ningún competidor puede empezar a correr hasta que no tenga el testigo en la mano. El equipo cuyo último jugador cruce la línea de llegada en primer lugar y sin perder el testigo es el ganador.

Una versión alternativa de la carrera de relevos clásica consiste en marcar una línea de salida y de vuelta a 9-15 m de distancia. Cada equipo se alinea en fila detrás de la línea de salida, y el primer corredor de cada fila lleva el testigo. A la señal de «¡Ya!», el primer competidor de cada línea corre hasta la línea de giro y regresa hasta la de salida, pasando el testigo al siguiente miembro del equipo, que hará lo mismo. Gana el primer equipo cuyos corredores han completado el recorrido.

El conejito saltarín

En esta carrera de «conejitos», los equipos saltan hasta la línea de meta.

Jugadores: 8 a 30 (en equipos iguales) y un adulto que supervise

Edad: 4 a 8

Lugar: Fuera de casa, en la hierba o pavimento

Equipo: Piedras, ramas o tiza para marcar las líneas

«El conejito saltarín» es una divertida versión de la carrera de relevos clásica para niños pequeños. A los más pequeñines les encanta saltar por el patio o jardín como si fueran conejitos.

Antes de empezar, se marcan dos líneas a por lo menos 5 m de distancia; son las líneas de salida y de llegada. Los niños se dividen en dos o más equipos de cuatro o cinco jugadores y forman una fila detrás de la línea de salida.

Cuando todos están en posición, el supervisor dice: «¡Preparados, listos, ya!». El primer jugador de cada equipo corre hasta la línea de giro saltando como un conejo (con los brazos alrededor de las rodillas y dando saltitos). Cuando llegue de nuevo a la salida y la haya cruzado, el segundo empezará a correr. El primer equipo cuyos saltadores hayan completado el recorrido es el ganador.

Canguro

En esta versión, en la que pueden tomar parte niños de hasta 10 años, los jugadores saltan sin sujetarse las rodillas. Se trata de dar los saltos más grandes posible con los pies juntos, usando el «resorte» de las rodillas y la fuerza muscular de las piernas para impulsarse. La preparación y las reglas son las mismas que en «El conejito saltarín», exceptuando que la separación entre la línea de salida y la de vuelta es un poco mayor (9 m). La carrera requiere un poquito más de fuerza y coordinación que en «El conejo saltarín».

Pisando periódicos

En esta carrera, cada competidor «pisa las noticias».

Jugadores: 2 o más, y un adulto que supervise

Edad: 5 a 10

Lugar: Dentro de casa, en una habitación espaciosa de pavimento liso (retira el mobiliario y los objetos que se puedan romper)

Equipo: 2 hojas de papel de periódico para cada jugador; cinta adhesiva o tiza para marcar las líneas (opcional)

Esta carrera, que es ideal para una fiesta, tanto si se juega individualmente como si se juega por relevos, constituye una excelente oportunidad para que los corredores más lentos se alcen con el triunfo. A ser posible se debe jugar en casa y sobre un pavimento liso y es aconsejable usar calcetines viejos, ya que la tinta del papel de periódico deja manchas difíciles de quitar.

La carrera se puede hacer de una pared a otra o bien empezando y terminando en líneas marcadas en el suelo, separadas entre 6 y 9 m. Para empezar, los jugadores se descalzan, y cada uno recibe dos hojas de periódico. Los participantes se alinean en la salida (si compiten por equipos, se colocarán en fila). Un adulto u otro niño da la señal de partida.

Cuando todos están en posición, el que da la salida dice: «¡Preparados, listos, ya!», los corredores se ponen una hoja de papel debajo de cada pie y empiezan a avanzar hacia la meta. Los pies deben estar siempre en contacto con el papel, y si cualquier parte del pie toca el suelo, el jugador debe regresar a la salida y empezar de nuevo. El juego consiste en deslizarse con un ritmo uniforme para ganar velocidad. Si una hoja se rompe, el jugador continuará deslizándose sobre el pedazo que haya quedado. En este caso, dará igual que toque el suelo con el pie.

Si «Pisando periódicos» se juega como una carrera en línea recta, el primero que cruza la meta es el ganador. Pero si la habitación no es lo bastante espaciosa como para que todos los niños corran a la vez, también se puede jugar por grupos. Luego, los vencedores de cada grupo pueden enfrentarse en un duelo final.

Si se juega en forma de carrera de relevos, cada participante avanzará hasta la pared opuesta (o línea de giro), regresará y se apeará del papel. El siguiente miembro del equipo montará en el papel y realizará el recorrido. Si el papel se rasga, los competidores deben seguir adelante con el pedazo que quede. El primer equipo cuyos miembros hayan completado el recorrido de ida y vuelta es el ganador.

Relevos a la pata coja

En esta emocionante carrera, los participantes deben recorrer la distancia saltando a la pata coja.

Jugadores: 6 o más (en equipos iguales) y un adulto que supervise

Edad: 6 a 12

Lugar: Fuera de casa, en la hierba o pavimento

Equipo: Piedras, ramas o tiza para marcar las líneas

El objetivo del juego es «correr» saltando sobre un pie. Dado que cada niño se desarrolla físicamente a su propio ritmo, es importante comprobar si todos saben hacerlo. La mayoría de ellos son capaces de saltar a la pata coja a partir de los 6 años.

Primero se marca en el suelo la línea de salida y de vuelta, separadas entre 6 y 9 m. Luego los jugadores forman dos o más equipos de por lo menos tres miembros, y cada uno elige un capitán. Los equipos se colocan en fila detrás de sus capitanes en la línea de salida.

Cuando todos están en posición, el supervisor dice: «¡Preparados, listos, ya!», y el primer niño empieza a saltar sobre un pie hasta la línea de giro. Si toca el suelo con el otro pie, tiene que empezar de nuevo. Una vez en la línea de giro, el corredor cambia de pie y regresa hasta la salida. Ahora es el turno del siguiente jugador.

El primer equipo cuyos saltadores completan el recorrido es el ganador.

Relevos mixtos

La variedad es la «salsa» de esta carrera en la que cada jugador se mueve de un modo diferente.

Jugadores: 6 o más (en equipos iguales) y un adulto que supervise

Edad: 6 a 14

Lugar: Fuera de casa, en la hierba o pavimento

Equipo: Piedras, ramas o tiza para marcar líneas; pelota para cada equipo (opcional)

«Relevos mixtos» es una carrera con un toque de creatividad. Cada corredor de un equipo debe realizar el recorrido moviéndose de una forma diferente. Las alternativas entre las que elegir son múltiples: saltar, haciendo volteretas, marcha atlética o cualquier otro método. Las pelotas añaden interés y emoción a la carrera. Los jugadores pueden hacerla rodar, botar, driblarla, etc.

Primero se marca en el suelo la línea de salida y la de vuelta, separadas entre 9 y 15 m. Luego, los jugadores forman dos o más equipos iguales de tres a cinco jugadores, y cada equipo se coloca en fila detrás de la línea de salida. Ahora los jugadores deciden cómo correrá cada cual. Por ejemplo, el primer jugador de cada equipo podría tener que saltar; los segundos, correr hacia atrás; y los terceros caminar de puntillas.

Una vez tomada la decisión y cuando todos están en posición, el supervisor dice: «¡Preparados, listos ya!», y el primer participante de cada equipo sale lo más deprisa posible, avanzando con el estilo que le ha correspondido, hasta la línea de giro y de nuevo hasta la salida. Cuando ha cruzado la línea, el siguiente jugador hace lo mismo. El juego continúa hasta que todos han tenido la oportunidad de correr.

El primer equipo cuyos corredores completan el recorrido es el ganador. Si se desea prolongar la carrera, cada jugador deberá cubrir la distancia con todos los estilos de movimiento, de manera que correrán tantas veces como miembros haya en el equipo. En esta versión, todos los competidores, por turnos, corren con el primer estilo; luego, cada cual, por turnos, con el segundo estilo, etc., hasta que el último jugador completa el recorrido con el último estilo de movimiento.

Carrera a tres pies

La cooperación es esencial en esta carrera, ya que los corredores están literalmente atados a su pareja.

Jugadores: 4 o más (número par), y un adulto que supervise

Edad: 6 a 14

Lugar: Fuera de casa, en la hierba

Equipo: Bufanda o foulard para cada pareja de jugadores o cada equipo; piedras o ramas para marcar las líneas

Los jugadores se «relacionan muy estrechamente» en la «Carrera a tres pies», un clásico juego para picnics en el que los participantes corren con las piernas atadas. Para evitar constantes caídas, las parejas deben estar formadas por niños de estatura similar. La hierba es ideal, pues caer no duele.

La «Carrera a tres pies» se puede correr individualmente o por relevos. Primero se marcan las líneas de salida y de meta, separadas entre 9 y 15 m. A continuación, tanto en la modalidad individual como de relevos, cada jugador debe buscar una pareja. Ahora, los dos miembros de la pareja se colocan uno junto al otro, pasando un brazo por el hombro del otro y con las piernas interio-

res atadas (¡no demasiado fuerte, por favor!) con una bufanda o foulard. Si se corre en la modalidad de relevos, las parejas forman dos equipos iguales. Las parejas o equipos de parejas (alineadas en doble fila) se sitúan juntos detrás de la línea de salida.

Cuando todos están en posición, el supervisor dice: «¡Preparados, listos, ya!», y las parejas, o la primera de cada equipo, corren hasta la meta. Establecer un ritmo conjunto uniforme lleva algo de tiempo. Si una pareja cae, debe ponerse de nuevo en pie y seguir corriendo. Si se trata de relevos, cuando la primera pareja del equipo llega a la línea de meta, la segunda inicia el recorrido inverso. Cada pareja completa el recorrido por turnos.

La primera pareja que cruza la línea de meta, o el primer equipo cuyas parejas han completado el recorrido, gana.

Espalda contra espalda

Correr espalda contra espalda no es fácil. Ganar esta carrera requiere mucha coordinación.

Jugadores: 4 o más (número par), y un adulto que supervise

Edad: 6 a 11

Lugar: Fuera de casa, en la hierba

Equipo: Piedras, ramas o tiza para marcar las líneas

«Espalda contra espalda» es un tipo de juego en el que se puede correr en línea recta o por relevos. Requiere coordinación, de manera que no es apropiada para preescolares. Los niños se divierten muchísimo con la extremada complejidad de este ejercicio. Participa un número par de jugadores, ya que se juega por parejas.

Para empezar se marca en el suelo la línea de salida y la de llegada, separadas 16 m. Si se trata de una carrera recta, los jugadores se colocan espalda contra espalda y entrelazan los codos. Luego, las parejas se alinean en la salida, y cuando todos están en posición, el supervisor dice: «¡Preparados, listos, ya!». Las parejas empiezan a correr de la forma que prefieran y que les permita correr más. Habitualmente, un jugador avanza y el otro retrocede, pero está permitido correr de lado o cambiar de estilo durante el recorrido. No se puede desentrelazar los codos. Al llegar a la línea de giro dan la vuelta y se dirigen hacia la de salida. La primera pareja que cubre toda la distancia gana.

Si se juega por relevos, cada equipo se sitúa alineado, por parejas, detrás de la línea de salida. La primera empieza a correr hasta la línea de giro y de nuevo hasta la salida, y cuando ha cruzado la línea, sale la segunda pareja. Los equipos de relevos pueden estar formados por tantas parejas como sea necesario para que cada niño tenga la oportunidad de participar. El primer equipo cuyas parejas completan el recorrido es el ganador.

El salto de la rana

Las ranas saltan montadas en la espalda de su pareja hasta la línea de llegada.

Jugadores: 6 o más (en equipos iguales), y un adulto que supervise

Edad: 7 a 12

Lugar: Fuera de casa, preferiblemente en la hierba

Equipo: Piedras o ramas para marcar las líneas

Este juego de salto debería formar parte del repertorio lúdico de todos los niños. Su atractivo reside en la diversión de saltar sobre la espalda de un amigo con las piernas colgando y en el hecho de que se pueda jugar en cualquier parte al aire libre (a ser posible en la hierba; las caídas duelen menos) y con casi cualquier número de niños.

Primero se marca en el suelo la línea de salida y de llegada, separadas entre 15 m y 30 m, y los jugadores forman dos o más equipos iguales. El primer corredor de cada equipo se pone en cuclillas en la línea de salida, con las palmas apoyadas en el suelo y el mentón tirando hacia el pecho. Los demás se ponen en fila detrás.

Cuando todos están en posición, el adulto supervisor dice: «¡Preparados, listos, ya!», y el segundo jugador de cada equipo echa a correr y salta sobre el que está en cuclillas apoyando las manos en su espalda. Allí donde ha quedado tras el salto, se pone a su vez en cuclillas. Entonces, el tercero hace lo mismo, saltando sobre el primero y el segundo, y así sucesivamente avanzando hacia la meta.

Cuando todos los participantes de un equipo han saltado y están en cuclillas, formando una fila, el último se pone de pie y repite la secuencia de saltos. Así continúa el juego, saltando y en cuclillas. Gana el primer equipo cuyos miembros llegan a la línea de meta.

El cangrejo

En esta carrera, saber caminar como los cangrejos es la clave del éxito.

Jugadores: 8 a 30 (en equipos iguales), y un adulto que supervise

Edad: 7 a 12

Lugar: Fuera de casa, en la hierba

Equipo: Piedras, ramas o tiza para marcar las líneas

Esta versión de la carrera de relevos tradicional es bastante complicada, ya que los participantes deben realizar el recorrido avanzando como los cangrejos, es decir, de espaldas al suelo e impulsándose con los brazos y las piernas. (Para aquellos no iniciados en el mundo de los crustáceos, siempre es bueno echarle un vistazo a uno caminando.)

Primero se marca en el suelo la línea de salida y de vuelta, separadas entre 4,5 m y 6 m. La carrera puede ser más larga para los niños mayores, aunque no demasiado, pues no es nada fácil avanzar en esta posición. Los participantes forman dos o más equipos iguales de cuatro o cinco jugadores.

Cuando el adulto que supervise la carrera dice: «¡Preparados, listos, ya!», el primer jugador de cada equipo parte hacia la línea de giro y luego regresa hasta la línea de salida. Una vez cruzada la meta, es el turno del siguiente jugador. El juego continúa hasta que todos los miembros de un equipo consiguen completar el recorrido en primer lugar, erigiéndose en vencedores.

Carrera de sacos

En esta súper popular carrera, muy habitual en los picnics, los jugadores saltan enfundados en un saco hasta la línea de llegada.

Jugadores: 2 o más, y un adulto que supervise

Edad: 7 a 12

Lugar: Fuera de casa, en la hierba o arena

Equipo: Saco de arpillera o funda de almohada vieja para cada jugador o equipo; piedras o ramas para marcar las líneas.

La «Carrera de sacos» es muy divertida por su originalidad. Después de todo, no ocurre a diario que los niños salten embutidos en un saco o una funda de almohada. Esta carrera también implica un montón de caídas y tropezones, provocando la risa de quienes siguen en pie. La facilidad para caerse aconseja organizar la carrera en una superficie lo más blanda posible, como por ejemplo la hierba o la arena.

Se puede jugar individualmente o por relevos. En el primer caso, cada jugador recibe un saco o funda de almohada y se coloca en la línea de salida. La meta está situada a 9 m. La carrera se puede acortar o alargar dependiendo de la edad y habilidad de los participantes.

Cuando todos están en posición, el supervisor dice: «¡Preparados, listos, ya!», y cada jugador se mete en su saco, lo sujeta a su alrededor y empieza a saltar hacia la línea de llegada. Los principiantes no tardan en descubrir lo fácil que resulta tropezar y caer de bruces en la hierba. La mejor manera de correr es moverse con saltos largos y rítmicos. El jugador que se cae, se pone de pie y sigue corriendo sin sacar los pies del saco. El primero en cruzar la meta es el ganador.

Si la «Carrera de sacos» se juega por relevos, los participantes forman dos o más equipos iguales, y se colocan en filas detrás de la línea de salida. A la voz de «¡Ya!», el primer jugador de cada fila se mete en el saco y empieza a saltar, y cuando llega a la línea de giro, regresa, entregando el saco al siguiente jugador en la fila, que a su vez se mete en el saco y empieza a saltar. La carrera continúa hasta que todos los miembros de un equipo han tenido la oportunidad de saltar. El primer equipo cuyos corredores completan el recorrido es el ganador.

Carrera de cerditos

Un jugador transporta la carga mientras el otro corre.

Jugadores: 4 o más (número par), y un adulto que supervise

Edad: 8 a 12

Lugar: Fuera de casa, en la hierba o arena

Equipo: Piedras o ramas para marcar las líneas

A los niños les encanta montarse en la espalda de otros. Así pues, ¿por qué no organizar una «Carrera de cerditos»? Los niños menores de 8 años no deberían participar, pues carecen de la fuerza y el equilibrio suficientes. Pueden competir los niños algo mayorcitos y de estatura y complexión similares, o bien pueden cargar ellos siempre y llevar a cuestas a los más pequeños. Es recomendable jugar en una superficie blanda, como la hierba o la

arena, para evitar lesiones a causa de las inevitables caídas.

Se puede jugar individualmente o por relevos. En cualquier caso se marca en el suelo la línea de salida y de giro, separadas 9 m. Luego los participantes forman parejas o dos o más equipos iguales de por lo menos tres parejas. Cada pareja o equipo se pone en fila detrás de la línea de salida.

Cuando todos están en posición, el adulto que supervise la carrera dice: «¡Preparados, listos, ya!», y un jugador de cada pareja (o de la primera de cada equipo) monta en la espalda de su compañero y se sujeta de los hombros o le pasa los brazos alrededor del pecho, y las piernas alrededor de la cintura. El que carga, sujetando las piernas del «cerdito jinete», corre hasta la línea de giro,

el jinete desmonta y monta en su espalda a su pareja, es decir, el que cargaba anteriormente. (Omite este paso si los jugadores no tienen la misma estatura y complexión.) Luego corre hacia la línea de salida.

Si se juega por relevos, cuando la primera pareja cruza la línea de salida, sale la siguiente. La primera pareja o el primer equipo que completa el recorrido es el ganador.

La carretilla

En esta divertida carrera, un jugador empuja a su compañero, una verdadera «carretilla» humana, hasta la meta.

Jugadores: 4 o más (número par), y un adulto que supervise

Edad: 8 a 12

Lugar: Fuera de casa, en la hierba o arena

Equipo: Piedras o ramas para marcar las líneas

«La carretilla» es otra carrera clásica en los picnics que se debe realizar sobre una superficie blanda para evitar lesiones. El trabajo en equipo es crucial, ya que las parejas deben empujar a sus carretillas humanas lo más deprisa posible. Las manos se ensucian una barbaridad. Ten a mano agua y jabón.

«La carretilla» se puede disputar individualmente o por relevos. En cualquier caso, cada jugador debe tener una pareja. Se marca en el suelo la línea de salida y de llegada, separadas 9 m. Las parejas se alinean en la salida, y si la carrera se juega por relevos, los participantes forman dos o más equipos iguales, cuyos miembros se ponen en doble fila detrás de la línea de salida. A continuación, la pareja (o la primera pareja si es por equipos) se prepara para adoptar la posición de la carretilla: un jugador se pone a cuatro patas (o tumbado en el suelo boca abajo) y el otro se sitúa detrás.

Cuando todos están en posición, el supervisor dice: «¡Preparados, listos, ya!», y el corredor de cada pareja que está de pie sujeta a su compañero por los tobillos y lo levanta a la altura de la cintura. Luego el «carretillero» empuja a su compañero hacia la línea de meta, mientras el que hace de carretilla camina con las manos. Las caídas y tropezones son inevitables, y si se descalabra una carretilla, se debe recoger de nuevo y seguir adelante.

En una carrera por relevos, las parejas avanzan hasta una línea de giro y luego intercambian los roles y regresan hasta la salida.

La primera pareja que cruza la línea de llegada o el primer equipo cuyas parejas han completado el recorrido gana.

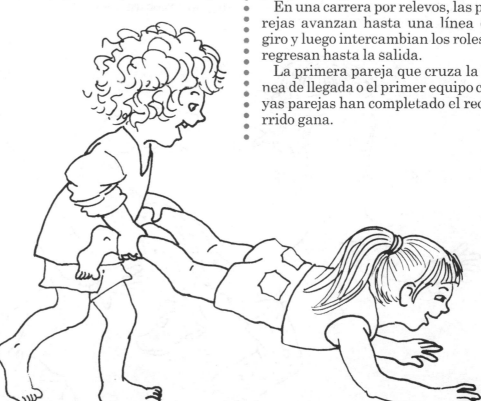

La carrera a ciegas

En esta carrera de los mil mareos, los jugadores intentan llegar a la meta sin desviarse ni caer.

Jugadores: 2 o 20, un adulto que supervise y otros adultos o niños mayores observadores (si es necesario)

Edad: 8 a 12

Lugar: Fuera de casa, en la hierba o pavimento

Equipo: Bate de béisbol o mango de escoba para cada jugador o equipo; piedras, ramas o tiza para marcar las líneas; vendas para los ojos (opcional)

La «Carrera a ciegas» consiste en lo que su propio nombre indica: correr a ciegas después de haber dado varias vueltas. Los desorientados corredores compiten para ser los primeros en cruzar la línea de llegada. Si se juega individualmente, hay que vendar los ojos a los participantes para complicarles todavía más las cosas, y si se juega por relevos, entonces no hacen falta vendas.

Antes de empezar, se marca en el suelo la línea de salida y de llegada, separadas unos 5-6 m. Si la carrera es individual, todos los corredores se alinean en la salida y cada cual toma una «vara» (bate o mango de escoba). Si tienen los ojos vendados, debería de haber varios observadores que ayuden a los jugadores a sortear los obstáculos.

Cuando todos están en posición, el adulto supervisor dice: «¡Preparados, listos, ya!». Cada jugador apoya la punta de su vara en el suelo y sujeta el extremo superior con las dos manos. Luego apoya la frente en las manos y da tres vueltas. A continuación, se yergue de nuevo, suelta la vara y corre hacia la línea de meta. Ni que decir tiene que, con tantas vueltas, los tropezones, desviaciones y la pérdida de orientación son comunes. Y si además llevan los ojos vendados, la confusión es casi absoluta. El primero que cruza la meta, gana.

Si se juega por relevos, dos o más equipos iguales se ponen en fila detrás de la línea de salida, marcando una línea de giro a unos 5-6 m de distancia. El primer jugador de cada equipo corre hacia la línea de giro, donde le espera la vara. Luego da tres vueltas sobre sí mismo y regresa hacia la salida, donde entrega la vara al siguiente corredor. El primer equipo cuyos participantes completan el recorrido es el ganador.

Dame y toma

Los jugadores compiten pasándose diversos objetos a lo largo de la línea.

Jugadores: 8 o más (número par), y un adulto que supervise

Edad: 3 a 6

Lugar: Dentro de casa, en una habitación espaciosa, o al aire libre en la hierba o pavimento

Equipo: 2 pilas idénticas de 10 objetos (monedas, guisantes, botones, canicas, caramelos, etc.)

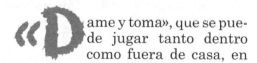

«Dame y toma», que se puede jugar tanto dentro como fuera de casa, en una sencilla carrera de pases ideal para preescolares.

Los jugadores forman dos equipos iguales, y sus miembros se sientan en el suelo, uno junto al otro y alineados, de frente al equipo rival. El primer jugador de cada línea recibe una pila de objetos, que coloca a su lado. Se puede usar cualquier cosa que quepa en la mano del jugador: monedas, caramelos, guisantes, botones, canicas, uvas, etc. (Recuerda a los niños que no deben llevárselos a la boca.) Los dos equipos reciben la misma cantidad de objetos, de manera que el grado de dificultad es el mismo.

Cuando todos están preparados, el supervisor dice: «¡Preparados, listos, ya!», y el líder de cada línea toma un objeto de la pila y lo deposita en la mano del segundo jugador. El tercero lo toma de la mano del segundo y lo pasa al cuarto, y así sucesivamente. No importa si el último jugador toma o da. El primer jugador deberá esperar a que el objeto discurra de nuevo a lo largo de la línea y llegue de nuevo a sus manos antes de pasar el segundo objeto de la pila. Si un objeto se cae, quien lo tenía lo recogerá y seguirá jugando. El primer equipo que pasa todos los objetos es el ganador.

El anillo

En esta sencilla carrera para fiestas, los jugadores compiten pasándose diversos objetos a lo largo de la cuerda.

Jugadores: 8 o más (número par), y un adulto que supervise

Edad: 7 a 12

Lugar: Dentro de casa, en una habitación espaciosa, o al aire libre en la hierba o pavimento

Equipo: 2 anillos; cuerda; tijeras

«El anillo» es una carrera de pases por relevos ideal para niños muy pequeños. En este divertido juego para fiestas no hay pilas de objetos ni piezas sueltas que puedan llevarse a la boca. Los jugadores permanecen en su sitio, de manera que se puede organizar dentro o fuera de casa.

Primero los participantes forman dos equipos iguales. Luego se cortan dos trozos de cuerda de la misma longitud (60 cm) para cada equipo. En cada cuerda se ensarta un anillo (se puede sustituir por arandelas o carretes de hilo) y sus extremos se atan formando un círculo. Los dos equipos se sientan o se quedan de pie formando sendos círculos, y cada uno sujeta su cuerda. Deben separarse lo suficiente como para que la cuerda esté tirante.

Cuando todos están preparados, el supervisor dice: «¡Preparados, listos, ya!», y ambos equipos empiezan a pasar el anillo alrededor del círculo, de izquierda a derecha, lo más deprisa posible. La emoción está asegurada, pues todos intentan pasarlo rápidamente, incluso lanzándolo hacia el compañero. El primer equipo que completa el círculo tres veces, gana.

Un donuts en la cuerda

Se juega igual que «El anillo», pero con una excepción: se usa un donuts en lugar de un anillo. Esto hace el juego más difícil (¡y pegajoso!), ya que el donuts puede desmigajarse si se manipula con brusquedad. (Lógicamente, si se juega en casa, es aconsejable poner papel de periódico o un plástico en el suelo.) Si el donuts se parte, el equipo pierde automáticamente el juego, y cada miembro del equipo vencedor recibe un donuts a modo de premio. Los perdedores también tienen su premio... ¡el agujero del donuts!

Doble pase

A esta carrera de pases se juega sentado, pero la acción es trepidante.

Jugadores: 8 a 20 (número par), y un adulto o niño mayor que supervise

Edad: 4 a 8

Lugar: En casa, en una habitación espaciosa, o al aire libre en la hierba o arena

Equipo: Mazo de 52 cartas o pila de 50 objetos pequeños (canicas, caramelos, monedas, etc.)

«Doble pase» es una sencilla pero apasionante carrera para fiestas muy indicada para niños pequeños. Es más apropiado jugar dentro de casa, ya que los participantes deben sentarse en el suelo con una pila de objetos o cartas. (No uses cartas si juegas al aire libre; el viento se las llevará volando.)

Primero los jugadores forman dos equipos iguales y cada uno elige un capitán. Los miembros de cada equipo se sientan uno junto a otro a la izquierda de su capitán. Las dos líneas deben estar frente a frente. El capitán recibe una pila de cartas que coloca a su lado.

Cuando todos están preparados, el supervisor de la carrera dice: «¡Preparados, listos, ya!», y los capitanes empiezan a pasar los objetos a lo largo de la línea, uno por uno. Los pases se realizan usando sólo la mano derecha y por delante del cuerpo. Cuando un objeto llega al último jugador de la línea, se lo pasa a la mano izquierda y empieza de nuevo los pases a lo largo de la línea, ahora en sentido contrario y por detrás del cuerpo, sólo con la mano izquierda. A medida que los objetos van llegando al capitán, los va colocando en una segunda pila a su lado.

El juego continúa en las dos direcciones hasta que todos los objetos han llegado de nuevo al capitán. El primer equipo cuyo capitán recupera los objetos es el ganador.

Carrera de cacahuetes

Esta comiquísima carrera requiere una nariz muy diestra para impulsar los cacahuetes.

Jugadores: 2 o más, y un adulto que supervise

Edad: 5 a 12

Lugar: Dentro de casa, en una habitación espaciosa enmoquetada (retira el mobiliario y los objetos que se pueden romper)

Equipo: Cacahuete con cáscara para cada jugador; cinta adhesiva para marcar las líneas

La «Carrera de cacahuetes» es muy popular en las fiestas. Observar a los jugadores corriendo hasta la meta empujando cacahuetes con la nariz es para morirse de risa. Es preferible jugar en casa, en un pavimento enmoquetado.

Antes de empezar, se marca la línea de salida y de llegada, separadas unos 5 m. Cada corredor recibe un cacahuete con cáscara y se coloca en la línea de salida.

Cuando todos están en su sitio, el supervisor dice: «¡Preparados, listos, ya!». Los participantes ponen su cacahuete en el suelo y empiezan a empujarlo como mejor prefieran hacia la meta, pero sólo con la nariz. Pueden gatear a cuatro patas o arrastrarse como serpientes. Si cualquier otra parte del cuerpo toca el cacahuete, el jugador debe regresar a la salida. El primero que cruza la línea de llegada es el ganador.

Si se juega por relevos, los contendientes forman equipos iguales y se ponen en fila detrás de la línea de salida. A la señal de «¡Preparados, listos, ya!», el primer jugador de cada fila empuja su cacahuete hasta la línea de giro, la cruza, se da la vuelta y regresa hasta la salida. Luego es el turno del segundo jugador. El equipo cuyos miembros completan el recorrido gana.

Peces voladores

En esta divertida carrera los jugadores abanican frenéticamente sus peces hasta la meta.

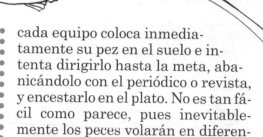

Jugadores: 6 a 20 (en equipos iguales) y un adulto que supervise

Edad: 5 a 9

Lugar: En casa, en una habitación espaciosa (retira el mobiliario y los objetos que se pueden romper)

Equipo: Cartulina; lápiz; rotuladores o lápices de colores (opcional); tijeras; periódico o revista, y plato de plástico para cada jugador

Esta carrera requiere un poquito de preparación. Los niños pueden confeccionar los peces como actividad artística previa. Los más pequeños disfrutarán a sus anchas abanicando los peces por la habitación.

Lo primero que hay que hacer es confeccionar los peces, de alrededor de 25 cm de longitud, que se dibujan con un lápiz en cartulina de colores y luego se recortan. Si los hacen los niños, también pueden decorarlos con lápices de colores o rotuladores. Cada jugador recibe un pez, y cada equipo un periódico o revista.

Dos o más equipos iguales de tres a cinco jugadores se ponen en fila en un extremo de la habitación y se coloca un plato de plástico en el extremo opuesto, en el suelo, alineado con cada fila de participantes, o en una línea de meta más próxima si la distancia parece excesivamente larga.

El supervisor dice: «¡Preparados, listos, ya!», y el primer jugador de cada equipo coloca inmediatamente su pez en el suelo e intenta dirigirlo hasta la meta, abanicándolo con el periódico o revista, y encestarlo en el plato. No es tan fácil como parece, pues inevitablemente los peces volarán en diferentes direcciones antes de llegar a su destino.

Tan pronto como el pez aterriza en el plato, el jugador corre hasta la salida, y el siguiente participante repite la secuencia. No importa que accidentalmente se salga algún pez del plato al abanicar.

El primer equipo que llena su plato de peces es el ganador.

Pasa la naranja

Los corredores pasan la naranja a lo largo de la línea con la ayuda de los pies y el mentón.

Jugadores: 8 o más (número par), y un adulto que supervise

Edad: 6 a 10

Lugar: En casa, en una habitación espaciosa (retira el mobiliario y los objetos que se pueden romper) o al aire libre en la hierba, pavimento o incluso la arena

Equipo: 2 naranjas

«Pasa la naranja» es una clásica carrera para fiestas en la que los niños compiten pasando la fruta sin tocarla con las manos. Solamente pueden usar los pies y el mentón. (No utilices mandarinas; son demasiado pequeñas y difíciles de manipular.) Se puede jugar dentro y fuera de casa.

Antes de empezar, los participantes forman dos equipos iguales. En una versión de este juego, los miembros de cada equipo se descalzan y se sientan en el suelo uno junto a otro de frente al equipo rival, con las piernas juntas, estiradas al frente y los dedos de los pies estirados. El primer jugador de cada línea recibe una naranja, que coloca encima de los pies.

Cuando todos están en posición, el adulto supervisor dice: «¡Preparados, listos, ya!», y el jugador que tiene la naranja intenta pasarla al de su derecha, equilibrándola entre los dedos de los pies o haciéndola rodar. Si la naranja se cae al suelo antes de que el segundo jugador la equilibre sobre sus pies, el primero debe recogerla e intentarlo de nuevo. La naranja va pasando a lo largo de la línea.

En una versión alternativa, los jugadores se ponen de pie uno junto a otro y el primero sujeta la naranja debajo del mentón. Para pasarla debe colocarla debajo del mentón del siguiente miembro de su equipo. Si la naranja se cae o alguien la toca con las manos durante la secuencia de pases, hay que volver a empezar.

Cualquiera que sea el método de pase elegido, el primer equipo que consigue pasar la naranja hasta el final de la línea es el ganador.

Vísteme

En esta divertidísima carrera, los equipos ponen y quitan una prenda de vestir a dos jugadores que se toman de la mano.

Jugadores: 8 o más (en equipos iguales), y un adulto que supervise

Edad: 6 a 12

Lugar: En casa, en una habitación espaciosa (retira el mobiliario y los objetos que se pueden romper) o al aire libre en la hierba o pavimento

Equipo: Vieja camisa extralarga con mangas para cada equipo

El objetivo de «Vísteme» es quitar una camisa de talla extra grande (de papá o del abuelo) a un jugador y ponérsela a otro mientras se toman de la mano. ¿Imposible? No lo es, pero desde luego no es tarea fácil. Esta alocada carrera hace las delicias de los niños por lo tonto de la idea y les enseña a cooperar y trabajar en equipo.

Primero los participantes forman dos o más equipos de cuatro o cinco jugadores. Cada equipo recibe una camisa de manga corta con todos los botones abrochados menos el del cuello. Un jugador se pone la camisa sobre la ropa y luego toma de la mano a su compañero de equipo.

Cuando todos están preparados, el supervisor dice: «¡Preparados, listos, ya!», y los demás miembros de cada equipo intentan pasar la camisa del primer jugador al segundo. La pareja no debe soltarse de las manos hasta que el segundo lleve puesta la camisa que llevaba el primero. Finalmente, los niños descubren que la única forma de conseguirlo es sacar la camisa por la cabeza del primer jugador y luego deslizarla por los brazos de los dos jugadores hasta el segundo jugador. Cuando éste lleva puesta la camisa, un tercer jugador lo toma de las manos y el juego continúa.

El primer equipo que consigue vestir a su último jugador es el ganador.

El túnel

El objetivo de esta carrera es mantener la pelota rodando a través de un túnel de piernas.

Jugadores: 10 o más (en equipos iguales), y un adulto que supervise

Edad: 6 a 12

Lugar: Fuera de casa, en la hierba o pavimento

Equipo: Pelota para cada equipo; piedras, ramas o tiza para marcar las líneas

«El túnel» es una carrera de relevos que se debe jugar en una superficie firme para que la pelota pueda rodar con facilidad. La coreografía es algo complicada, pero cuando los niños se acostumbran al movimiento, se lo pasan en grande.

Primero se marca en el suelo la línea de salida y de llegada, separadas unos 9-15 m, y los jugadores forman dos o más equipos iguales de por lo menos cinco miembros cada uno. Un jugador de cada equipo se pone de pie en la línea de salida, mirando a la meta, con las piernas separadas. Los demás miembros del equipo se alinean detrás formando una fila, a 1 m uno de otro y también con las piernas separadas y mirando en la misma dirección. El primer jugador de cada fila tiene la pelota.

Cuando todos están en posición, el supervisor dice: «¡Preparados, listos, ya!», y quien tiene la pelota la hace rodar por debajo de sus piernas y a través del «túnel» formado por las piernas de sus compañeros, que pueden ayudar a que la pelota vaya pasando. Cuando la pelota llega al último de la fila, la recoge y corre hasta el principio, donde se reanuda el juego. La fila va avanzando poco a poco hacia la línea de llegada. Si la pelota sale del túnel, se recoloca y se sigue jugando.

El equipo que llega el primero a la meta es el ganador.

Túnel por relevos

El «Túnel por relevos» se puede adaptar para jugar dentro de casa usando globos en lugar de pelotas.

En esta versión del juego, el globo pasa de las manos de un participante a otro por debajo de las piernas. La línea de meta está situada en el otro extremo de la habitación. En todo lo demás, el juego es idéntico a «El túnel».

¡Camarero, por favor!

Los jugadores intentan «servir» el triunfo sin dejar caer la pelota.

Jugadores: 10 o más (en equipos iguales), y un adulto que supervise

Edad: 6 a 11

Lugar: En casa, en una habitación espaciosa (retira el mobiliario y los objetos que se pueden romper) o fuera de casa en la hierba o pavimento

Equipo: Pelota de ping-pong y plato de plástico para cada equipo

En esta divertidísima carrera, muy popular en las fiestas de cumpleaños, los jugadores hacen sus pinitos como camareros. En este caso, el «menú» es una pelota de ping-pong, y la clave es la velocidad, no el estilo. Se puede jugar al aire libre, aunque en realidad es una carrera ideal para organizar dentro de casa, ya que no requiere demasiado espacio.

Primero los participantes forman dos o más equipos iguales de por lo menos cinco jugadores, eligiendo cada uno un capitán. Los equipos se colocan en fila detrás de los capitanes, dejando unos 30-60 cm de distancia entre uno y otro. Cada capitán recibe una pelota de ping-pong en un plato de plástico.

Cuando los capitanes tienen su plato y todos están en posición, el supervisor dice: «¡Preparados, listos, ya!». A esta señal, cada «camarero», sosteniendo el plato en una mano y con la pelota en equilibrio encima, se vuelve hacia sus compañeros y procede a driblarlos, uno tras otro, sin dejar caer la pelota o el plato. Si se cae, el corredor lo recoge y empieza de nuevo.

Cuando llega al final de la línea, corre hasta el principio y entrega el plato y la pelota al siguiente jugador diciendo: «El desayuno está servido, señor (o señora)», y regresa de nuevo al final de la línea mientras el segundo camarero inicia la carrera. El juego continúa hasta que todos los miembros del equipo han tenido su turno. El primer equipo que llega a la meta gana.

Si quieres que sea un poco más difícil, se puede pedir a los jugadores que lleven el plato en la palma de la mano y a nivel del hombro, como los camareros de verdad.

Carrera de bomberos

En esta húmeda y salvaje carrera de relevos, los «bomberos» se apresuran a llevar el agua a su destino.

Jugadores: 6 o más (en equipos iguales), y un adulto que supervise

Edad: 6 a 11

Lugar: Fuera de casa, en la hierba, pavimento o arena

Equipo: Vaso de plástico para cada equipo; 2 cubos o cuencos grandes (no cristal) para cada equipo; piedras, ramas o tiza para marcar las líneas

La «Carrera de bomberos» es un divertido juego para una fiesta estival que permite a los participantes mojarse sin mayores problemas. Los niños se lo pasan muy bien corriendo con un vaso lleno de agua, una actividad prohibida en la vida diaria. Ni que decir tiene que se debería jugar al aire libre.

Se marca en el suelo la línea de salida y de llegada, separadas unos 9 m. Los jugadores forman dos o más equipos iguales de por lo menos tres miembros, y los equipos se alinean en fila en la salida. Se coloca un cubo o cuenco con seis vasos de agua en la línea de salida delante de cada fila, y otro vacío en la meta. Es importante que la cantidad inicial de agua sea la misma para todos los equipos.

El primer corredor de cada equipo recibe un vaso de plástico, y cuando todos están en posición, el adulto supervisor dice: «¡Preparados, listos, ya!». El primer niño de cada equipo llena de agua su vaso en el cuenco de su equipo y corre hasta la línea de llegada lo más deprisa posible y salpicando lo mínimo. Al llegar, echa el agua en el cuenco vacío y corre de nuevo hasta la línea de salida. Al cruzarla, entrega el vaso al jugador siguiente, que repite la acción.

El primer equipo que consigue transferir toda el agua de su cuenco lleno al cuenco vacío, es el ganador. Los demás equipos deben continuar llevando agua hasta terminar, ya que el primero podría haber derramado más que otros, en cuyo caso queda descalificado, ganando el segundo equipo más rápido.

Pajitas y judías

Aunque aquí no se trata de correr, quien más quien menos acabará resollando al término de esta carrera de pases.

Jugadores: 8 o más (número par), y un adulto que supervise

Edad: 6 a 11

Lugar: En casa, en una habitación espaciosa con asiento en el suelo para todos los jugadores

Equipo: Pajita de refresco para cada jugador; 12 judías secas; 4 platitos

«Pajitas y judías» es una carrera en la que los equipos compiten para transferir un plato lleno de judías a otro vacío situado al final de la línea usando sólo pajitas de refresco y por supuesto el aire de sus pulmones. Para evitar frustraciones innecesarias, los niños deben ser lo bastante mayorcitos para comprender cómo se succiona una pajita para recoger una judía y cómo se suelta. Evidentemente, las pajitas deben ser más estrechas que las judías para que nadie pueda tragárselas (las que tienen forma de riñón son ideales). Asimismo, los participantes deben haber superado la edad en la que se llevan las cosas a la boca.

Los jugadores forman dos equipos, y sus miembros se sientan en el suelo, uno junto a otro, formado una línea. Los dos equipos deben estar frente a frente. En uno de los extremos de cada línea se coloca un platito con seis judías secas, y otro vacío en el extremo opuesto. Cada jugador recibe una pajita.

Cuando todos están preparados, el supervisor del juego da la señal: «¡Preparados, listos, ya!», y el jugador de cada equipo que está más cerca de las judías apoya la pajita en una judía y succiona para que no se caiga. Conteniendo el aliento, la deposita en la mano del siguiente jugador, soltando el aire. Ahora, el segundo jugador succionará la judía y la pasará al siguiente miembro de su equipo. El juego continúa pasando las judías a lo largo de la línea hasta llegar al plato vacío. Si la judía no cae en cualquier momento, se empieza de nuevo.

El primer equipo que consigue pasar todas las judías a lo largo de la línea es el ganador.

Pinzas para la ropa

En esta emocionante carrera de relevos los participantes amontonan pinzas para la ropa sin que se caigan.

Jugadores: 16 a 30 (en equipos iguales), y un adulto que supervise

Edad: 7 a 11

Lugar: En casa, en una habitación espaciosa (retira el mobiliario y los objetos que se pueden romper) o al aire libre, en el pavimento

Equipo: 10 pinzas para la ropa (o bloques de construcción u otros objetos apilables) para cada equipo

En esta carrera de pases y construcción no hay que correr. Es una competición ideal para un grupo grande de niños dentro de casa, pues se necesita poco espacio. Después de todo, los «corredores» no se mueven de su sitio.

Primero los participantes forman dos o más equipos iguales. Cada equipo se coloca en fila, con una pila de pinzas junto a los pies del último de la línea. Las pinzas para la ropa se pueden sustituir por cualquier tipo de objetos que se puedan apilar con un poquito de dificultad, como por ejemplo bloques de construcción.

Cuando todos están preparados, la persona que supervise la carrera dice: «¡Preparados, listos, ya!», y el último niño de cada fila empieza a pasar las pinzas, de una en una, hacia adelante lo más deprisa posible. Nadie puede tener en la mano más de una pinza al mismo tiempo.

El primer jugador de cada línea es el encargado de ir apilando las pinzas en el suelo. No es fácil. Si la pila se derrumba, tiene que reconstruirla, interrumpiéndose momentáneamente el pase de pinzas. El primer equipo que amontona todas las pinzas gana la ronda.

El primer equipo que gana tres rondas es el vencedor. En cada ronda debe cambiar el primer niño de la fila.

La patata

En esta emocionante carrera de relevos la combinación de velocidad y equilibrio es la clave del éxito.

Jugadores: 6 o más (en equipos iguales), y un adulto que supervise

Edad: 7 a 12

Lugar: En casa, en una habitación espaciosa (retira el mobiliario y los objetos que se pueden romper) o al aire libre, en la hierba o pavimento

Equipo: Patata para cada jugador; cuchara grande para cada equipo; piedras, ramas, tiza o cinta adhesiva para marcar las líneas

«La patata» es similar a «El huevo y la cuchara», pero esta versión ensucia menos. Los equipos compiten corriendo con una patata en una cuchara. No es nada fácil, sobre todo porque no se puede tocar la patata con las manos o los pies (esta regla se puede eliminar para los más pequeños).

Los jugadores forman dos o más equipos iguales de por lo menos tres niños. Se marca en el suelo la línea de salida y la de giro, separadas unos 6-15 m. Los equipos se colocan en fila detrás de la línea de salida, y el primer jugador de cada fila recibe una cuchara. En la línea de giro hay tantas patatas como jugadores de cada equipo.

Cuando todos están en posición, el adulto que supervise la competición dice: «¡Preparados, listos, ya!», y el primer jugador de cada fila corre hacia la pila de patatas de su equipo y recoge una usando sólo la cuchara. Luego se apresura a regresar a la salida con la patata en equilibrio. Si se cae, debe recogerla con la cuchara. Al cruzar la línea de salida, el corredor deposita la patata en el suelo y entrega la cuchara al siguiente miembro del equipo, que corre hacia la línea de giro para tomar otra patata. El juego continúa, por turnos, hasta que un equipo consigue traer primero todas sus patatas a la línea de salida. Es el ganador.

El huevo y la cuchara

En esta carrera de relevos los corredores transportan una carga extremadamente frágil.

Jugadores: 8 a 30 (en equipos iguales), y un adulto que supervise

Edad: 8 a 12

Lugar: Fuera de casa, en la hierba o pavimento

Equipo: Cuchara metálica para cada jugador; huevo duro (o crudos para los más atrevidos) para cada equipo; piedras, ramas o tiza para marcar las líneas

«El huevo y la cuchara» es un clásico juego para fiestas. En esta versión de la carrera de relevos tradicional, los jugadores llevan huevos sobre cucharas. El menor tropezón provoca un desastre.

Primero se marca en el suelo la línea de salida y de giro, separadas unos 5 m. Los participantes forman dos o más equipos iguales de cuatro o cinco jugadores y se ponen en fila detrás de la línea de salida. El primer jugador de cada equipo recibe una cuchara y un huevo, que puede ser duro o crudo. Si se usan huevos crudos, el adulto supervisor deberá tener unos cuantos huevos extra para sustituir a los que se caen y se rompen. En este caso es aconsejable que los jugadores lleven prendas de vestir viejas.

Cuando todos están en posición, el supervisor dice: «¡Preparados, listos, ya!», y el primer jugador de cada equipo corre hasta la línea de giro y regresa con el huevo en la cuchara. Si el huevo se cae y es duro, lo recoge y sigue corriendo, y si es crudo, el supervisor le entrega otro.

Cuando el primer jugador cruza la línea de salida, toma el huevo con la mano y lo deposita en la cuchara del siguiente corredor en la fila, y la carrera continúa hasta que todos han tenido su turno.

El primer equipo cuyos miembros completan el recorrido es el ganador. Si se han utilizado huevos crudos, conviene tener agua y una toalla a mano para limpiar un poco el escenario.

La maleta

En esta carrera de equipajes, lo que importa es la velocidad, no la meticulosidad.

Jugadores: 6 o más (en equipos iguales), y un adulto que supervise

Edad: 8 a 12

Lugar: Al aire libre, en la hierba o pavimento

Equipo: Maleta vieja y pequeña o bolsa grande para cada equipo; surtido de prendas de vestir viejas; piedras, ramas o tiza para marcar las líneas

Por alguna razón, a los niños que detestan guardar sus calcetines en el cajón, y mucho menos en una maleta, les suele gustar esta chiflada carrera, lo que demuestra una vez más que la diversión de una actividad reside en su presentación. Es preferible usar maletas y prendas viejas para evitar que otras en buen estado se manchen o se rompan.

Se marcan en el suelo la línea de salida y la de giro, separadas unos 15 m. Los participantes forman dos o más equipos iguales de por lo menos tres jugadores y se ponen en fila detrás de la línea de salida. Cada equipo dispone de una maleta pequeña o una bolsa grande con un surtido de viejas prendas de vestir (camisetas, calcetines, pijamas, vaqueros, etc.) dobladas en su interior, asegurándose de que toda la ropa cabe perfectamente. El número y el tipo de prendas en cada maleta deben ser similares. Una maleta se coloca, abierta, delante de cada fila. Luego se extrae la ropa y se apila junto a la maleta.

Cuando todos están en posición, el supervisor de la contienda dice: «¡Preparados, listos, ya!», y el primer jugador de cada equipo hace la maleta, la cierra, abrocha las hebillas o pasadores, la levanta, corre hasta la línea de giro y regresa hasta la salida, donde vuelve a vaciarla. El siguiente jugador la empaca de nuevo, la cierra y corre hasta la línea de giro y de vuelta a la salida. El juego continúa con todos los jugadores de cada fila. El primer equipo cuyos miembros completan el recorrido es el ganador.

Al vaciar la maleta o al llenarla, no basta con amontonar las prendas en el suelo. Hay que doblarlas. Ésta puede ser la principal dificultad de la carrera.

Veamos una buena forma de organizarla con un gran número de jugadores. En lugar de que cada cual tenga que empacar, correr y luego desempacar en la línea de salida, la mitad de los miembros del equipo empiezan en la línea de salida, y la otra mitad en la de giro. Las maletas empiezan llenas en la línea de salida.

A la señal de «¡Preparados, listos, ya!», el primer jugador de cada equipo abre su maleta, se viste con las prendas que hay en su interior y corre hasta la línea de giro con la maleta vacía. Hay que vestirse bien; nada de camisetas atadas a la cintura, aunque no hace falta abotonar las camisas. Al llegar, se quita rápidamente la ropa, y el primer corredor situado en la línea de giro la mete de nuevo en la maleta. Una vez empacada, corre con ella hasta la línea de salida, la entrega al jugador siguiente y se coloca el último en la fila de la salida. El juego continúa, por turnos, hasta que todos los participantes han tenido la oportunidad de correr con la maleta y de vestirse y desvestirse. El equipo que termina primero gana.

Relevo de chismes

En ocasiones, la comunicación no es muy fluida.

Jugadores: 8 o más (en equipos iguales), y un adulto que supervise

Edad: 8 a 14

Lugar: Fuera de casa, en la hierba o pavimento

Equipo: Piedras, ramas o tiza para marcar las líneas

En lugar de pasar un testigo, en el «Relevo de chismes» los jugadores pasan un mensaje, y desde luego es muchísimo más difícil conseguir que el mensaje se conserve intacto que la simple entrega de un testigo. «Relevo de chismes» es un juego similar a «El teléfono», con el elemento añadido de la velocidad, que complica aún más si cabe las cosas. Los niños de todas las edades disfrutan con la forma en la que las palabras y mensajes se embrollan a medida que van pasando de jugador en jugador a lo largo de la fila.

Antes de empezar se marca en el suelo la línea de salida y la línea de giro, separadas unos 9-15 m. Los jugadores forman dos o más equipos iguales de por lo menos cuatro jugadores. Los equipos se ponen en fila detrás de la línea de salida. A continuación, el adulto que supervise la carrera susurra el mismo mensaje al primer niño de cada fila. El mensaje puede ser cualquier cosa, desde un trabalenguas hasta una frase completa.

Cuando el primer miembro de cada equipo ha recibido el mensaje y todos están en posición, el supervisor dice: «¡Preparados, listos, ya!», y el primer jugador de cada fila corre hasta la línea de giro y regresa, susurrando al oído la frase (o lo que «cree» que dice la frase) al siguiente miembro del equipo.

La carrera continúa hasta que el último jugador de uno de los equipos cruza la línea de salida y dice en voz alta el mensaje. Si es correcto, es decir, si coincide exactamente con el mensaje del supervisor, el equipo gana. Si se repite incorrectamente, el siguiente corredor que cruza la línea de salida da su versión del mensaje. El primer jugador de un equipo que cruza la línea de salida y lo dice correctamente es el ganador. Si ninguno acierta, no hay vencedor, disputándose otra carrera con un mensaje diferente.

Dos minutos

El ritmo lo es todo en esta carrera de interior, ya que los jugadores intentan negociar el recorrido exactamente en dos minutos.

Jugadores: 2 o más, y un adulto que supervise

Edad: 7 a 12

Lugar: En casa, en una habitación espaciosa (retira el mobiliario y los objetos que se pueden romper)

Equipo: Cronómetro o temporizador

«Dos minutos» es una carrera bastante inusual, ya que el niño que termina primero no es necesariamente el ganador. Dado que el objetivo del juego es cubrir el recorrido caminando en un tiempo lo más aproximado posible a 2 minutos, los jugadores deben tener un excelente sentido del ritmo para calcular cuándo ha transcurrido exactamente esa cantidad de tiempo.

«Dos minutos» se suele jugar dentro de casa, donde los participantes se alinean en una pared. En el otro extremo se sitúa el cronometrador, que da la salida. A la señal de «¡Preparados, listos, ya!», los corredores empiezan a serpentear por la habitación. Sin mirar ningún reloj, cada jugador intenta calcular su tiempo de llegada a la pared opuesta en exactamente 2 minutos. A medida que los jugadores van tocando la pared, el cronometrador anota el tiempo invertido. Luego determina quién se ha aproximado más a 2 minutos, tanto por exceso como por defecto, o incluso si alguien ha conseguido hacer 2 minutos exactos.

Cuando el último participante toca la pared, el cronometrador anuncia el ganador: quien se ha aproximado más a 2 minutos.

Juegos de persecución

A los niños les encanta perseguir a alguien tratando de atraparlo o que los persigan. Los juegos de este capítulo son, todos ellos, versiones de estos populares pasatiempos. Desde simples juegos de círculo hasta juegos con los ojos vendados y complicados juegos de acecho y captura, hay juegos de persecución para niños de todas las edades y habilidades físicas. Aun así, es recomendable que las edades sean relativamente similares, o por lo menos la capacidad de carrera, para que tanto los perseguidores como los perseguidos tengan una oportunidad. La mayoría de estos juegos son ideales para jugar fuera de casa, aunque también se pueden adaptar a un gimnasio u otra habitación muy espaciosa y vacía. En algunos, como se indica, hay que marcar un recorrido en el suelo. Otros requieren algún equipo, como por ejemplo pequeños objetos para «capturar». Los juegos de persecución son mucho más divertidos si participa un gran número de jugadores.

Seguir al rey

Para ser el «Rey» en este juego no competitivo de imitación se necesita imaginación y destreza física.

Jugadores: 3 o más, y un adulto o niño mayor que supervise

Edad: 3 a 8

Lugar: Fuera de casa, en el patio, jardín o parque

Equipo: Ninguno

El objetivo de «Seguir al rey» es imitar las acciones del líder (el «Rey») lo más exactamente posible. Aunque se puede jugar en modalidad competitiva, como una competición por eliminaciones, lo cierto es que el juego resulta de por sí un desafío individual para cada niño.

El mejor lugar para jugar a «Seguir al rey» es un parque infantil o un área similar en la que haya muchos obstáculos y equipo donde poder saltar, gatear, rodar y arrastrarse.

Primero se elige a un jugador que será el Rey, y todos los demás forman una fila detrás. Luego, el Rey va creando un recorrido sobre la marcha, mientras los demás jugadores lo siguen, intentando imitarlo lo mejor posible. Por ejemplo, en un parque infantil, el Rey podría correr 50 m, luego trepar a una roca y saltar, bajar por un tobogán, gatear por debajo del tobogán, dar tres vueltas alrededor de un árbol, dar diez pasos saltando a la pata coja y hacer una voltereta en la hierba.

El Rey debe procurar no introducir acciones o movimientos peligrosos o demasiado difíciles para los demás. Lógicamente, el recorrido para un grupo de niños de 3 años debe ser muchísimo más fácil que otro para niños de 7 u 8 años.

Si se juega en modalidad competitiva, los jugadores quedan eliminados cuando no consiguen realizar una acción del Rey. El último que queda (excluyendo al Rey) es el ganador y se convierte en el nuevo Rey. Y si se juega por simple diversión, cada cual permanece en la fila haciendo lo que buenamente puede. Cada 5 minutos se debería designar un nuevo Rey.

Corre corre que te pillo

La magia de este juego reside en la emoción de la persecución y la satisfacción de escapar o burlar al perseguidor.

Jugadores: 5 o más, y un adulto o niño mayor que supervise

Edad: 3 a 14

Lugar: Fuera de casa, en la hierba o pavimento

Equipo: Ninguno

«Corre corre que te pillo» es un juego muy antiguo cuyo atractivo reside en su simplicidad: un jugador persigue a otros que intentan escapar.

Antes de empezar, se designa al perseguidor, que cierra los ojos y cuenta hasta diez mientras los demás se dispersan.

La acción se inicia cuando el perseguidor empieza a ir tras los demás jugadores, que intentan evitar que los atrape. Cuando atrapa a uno, se convierte en el perseguidor y el juego continúa sin la menor interrupción.

También se puede jugar en modalidad de eliminación, en la que cada niño atrapado queda eliminado, y el perseguidor original sigue siéndolo durante todo el juego. Cuando sólo queda un jugador por atrapar, es el ganador y pasa a ser el perseguidor en el siguiente juego.

En cuclillas

Esta versión se juega igual que «Corre corre que te pillo», con la única excepción de que cuando un jugador se pone en cuclillas no puede ser atrapado, y el perseguidor debe mantenerse a distancia (mínimo 2 m). Sin embargo, si el jugador permanece en esta posición después de contar hasta tres, se le considera atrapado y se convierte en perseguidor.

Hacia atrás

Esta versión de «Corre corre que te pillo» está indicada para niños mayores de 5 años y se juega igual que el juego original, excepto que todos, incluido el perseguidor, corren hacia atrás.

El árbol

En esta versión, un jugador está a salvo y por lo tanto no puede ser atrapado si toca un árbol, aunque si lo desea, puede no tocarlo siempre que el perseguidor esté a más de 3 m de distancia. En otra versión, «Tocar madera», quien está tocando madera (u otro material, como hierro o piedra) no puede ser atrapado.

La cadena

Esta versión es más divertida si se juega con un grupo nutrido de participantes. El primer niño atrapado debe tomar de la mano al perseguidor, y los dos ir a la caza de los demás jugadores. Cada jugador atra-

pado se une a la cadena. A medida que va creciendo, sólo los jugadores de los extremos pueden atrapar. El último que queda fuera de la cadena gana el juego.

La linterna

Se juega al anochecer, y por lo tanto hay que asegurarse de que el área de juego está libre de obstáculos difíciles de ver. En lugar de atrapar tocando a otro jugador, el perseguidor lo hace enfocándolo con una linterna. Los jugadores capturados quedan eliminados, y el perseguidor sigue jugando hasta que sólo queda uno por atrapar.

La sombra

En lugar de atrapar físicamente a un jugador, en este caso el perseguidor pisa su sombra. Es aconsejable jugar al atardecer, cuando las sombras se alargan al estar próximo el ocaso.

La estatua de hielo

En esta versión, el jugador que ha sido atrapado debe «congelarse» en la posición y lugar en el que fue capturado, permaneciendo inmóvil hasta que otro jugador consigue llegar hasta él, tocarlo y liberarlo. La única forma en la que el perseguidor puede ganar es congelando a todos los jugadores. Difícil, pero no imposible.

La cruz

En esta versión de cooperación de «Corre corre que te pillo», el perseguidor empieza el juego diciendo en voz alta el nombre de un jugador y echando a correr tras él, y lo seguirá persiguiendo hasta que otro se cruce entre los dos, en cuyo caso, pasará a perseguir al jugador que se ha cruzado. Hay que trabajar en equipo para intentar ayudarse mutuamente a mantenerse a salvo del perseguidor.

¿Quién lo lleva?

En «¿Quién lo lleva?», los jugadores se pasan unos a otros un objeto (pe-

lota, sombrero, zapato, etc.), y el perseguidor sólo puede atrapar a quien lo lleva (el objeto debe estar siempre a la vista). Como es natural, los jugadores tratan constantemente de desprenderse del objeto; esto lo hacen simplemente tocando a otro jugador con él. Si un niño es atrapado llevando el objeto, se lo entrega al perseguidor y pasa a ser el nuevo perseguidor, que deberá contar hasta tres antes de iniciar la persecución. Si a un jugador se le cae el objeto, se convierte automáticamente en perseguidor.

Saltando

Esta versión se juega igual que el «Corre corre que te pillo» estándar, pero saltando en lugar de correr. Hay otras dos versiones: «A la pata coja», donde se salta sobre un pie, y «Caminando», donde no se puede correr, sólo caminar.

A flote

Esta versión se debe jugar en un área en la que haya cosas a las que trepar; está indicada para niños mayores de 5 años. Un jugador está a salvo y no puede ser atrapado si tiene los dos pies en el aire. Los participantes pueden trepar a árboles, estructuras de barras de parque infantil, vallas o cualquier otra cosa que les permita mantenerse «a flote». No se puede flotar si el perseguidor está a más de 5 m de distancia.

Pato, pato, ganso

En este clásico juego de persecución para preescolares, el último del círculo es el «ganso tontorrón».

Jugadores: 8 o más, y un adulto o niño mayor que supervise

Edad: 3 a 6

Lugar: En casa, en una habitación espaciosa (retira el mobiliario y los objetos que se pueden romper), o al aire libre, en la hierba o pavimento

Equipo: Ninguno

«Pato, pato, ganso» es uno de los juegos favoritos de los más pequeñines, ya que es fácil de aprender y divertido de jugar. Los preescolares nunca se cansan de perseguirse unos a otros alrededor de un círculo, y por alguna razón que se nos escapa, se sienten fascinados por las palabras «pato» y «ganso».

Para empezar, todos los jugadores excepto uno se sientan con las piernas cruzadas formando un gran círculo. El que queda es el que «para», que va caminando alrededor del círculo diciendo: «¡Pato!», mientras toca la cabeza de cada jugador.

Así sigue hasta que de repente toca la cabeza de alguien y dice: «¡Ganso!». Éste debe levantarse rápidamente e ir tras el que «para», corriendo alrededor del círculo. Si aquél consigue llegar hasta el sitio que quedó vacío sin haber sido atrapado, se sienta, y el otro jugador es quien «para». Y si lo atrapa, el ganso permanece en su sitio y vuelta a empezar.

El pañuelo

Los jugadores deben prestar atención al lugar en el que cae el pañuelo.

Jugadores: 8 o más, y un adulto o niño mayor que supervise

Edad: 3 a 7

Lugar: En casa, en una habitación espaciosa (retira el mobiliario y los objetos que se pueden romper), o al aire libre, en la hierba o pavimento

Equipo: Pañuelo o pedacito de papel

«El pañuelo» es un buen juego de persecución para niños muy pequeños. Se juega en círculo y dos jugadores corren a su alrededor. Además de la emoción que conlleva la persecución,

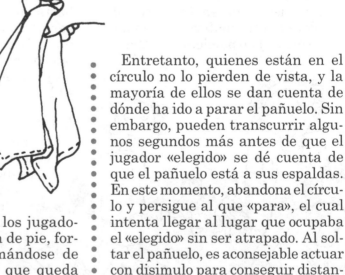

este juego ofrece el suspense de no saber nunca cuándo o dónde caerá el pañuelo.

Para empezar, todos los jugadores menos uno se ponen de pie, formando un círculo, tomándose de las manos. El jugador que queda «para», y va caminando lentamente alrededor del círculo con un pañuelo o pedacito de papel en la mano mientras dice: *Un avión / vuela por los aires / tira un pañuelo / adónde va a parar*. En cualquier momento durante la canción, deja caer secretamente el pañuelo detrás de uno de los jugadores sin dejar de cantar.

Entretanto, quienes están en el círculo no lo pierden de vista, y la mayoría de ellos se dan cuenta de dónde ha ido a parar el pañuelo. Sin embargo, pueden transcurrir algunos segundos más antes de que el jugador «elegido» se dé cuenta de que el pañuelo está a sus espaldas. En este momento, abandona el círculo y persigue al que «para», el cual intenta llegar al lugar que ocupaba el «elegido» sin ser atrapado. Al soltar el pañuelo, es aconsejable actuar con disimulo para conseguir distanciarse algunos pasos del «elegido» antes de que éste se dé cuenta y emprenda la persecución. Cuanto más se distancie, menos probabilidades habrá de ser atrapado.

Si el «elegido» lo atrapa antes de llegar al sitio vacío, sigue «parando» y el juego empieza de nuevo. Pero si logra ocupar el sitio vacío, el «elegido» «para» en la siguiente ronda.

¡Corre por tu vida!

En este juego de suspense, dos jugadores corren alrededor del círculo en busca de un sitio libre.

Jugadores: 10 o más, y un adulto o niño mayor que supervise

Edad: 4 a 8

Lugar: En casa, en una habitación espaciosa (retira el mobiliario y los objetos que se pueden romper), o al aire libre, en la hierba o pavimento

Equipo: Ninguno

«¡Corre por tu vida!» es un excelente juego de persecución en círculo para un grupo grande de pequeñines, que disfrutan del suspense de esperar a ver quién tiene que correr por su «vida» (el sitio libre en el círculo), y aprecian que no haya vencedores ni vencidos.

Para empezar, todos los jugadores menos uno se toman de la mano y forman un círculo. El otro jugador «para» y se queda fuera del círculo, camina poco a poco a su alrededor, y cuando los demás menos se lo esperan, suelta las manos de dos jugadores y grita: «¡Corre por tu vida!».

Quien «para» ocupa uno de los dos sitios vacíos, mientras que los otros dos niños corren en direcciones opuestas alrededor del círculo para ser los primeros en llegar al sitio libre restante. Quien llega primero y da una palmada en la palma abierta de quien «paraba» («¡choca esos cinco!»), se une al círculo, y el otro jugador «para» en la siguiente ronda.

El gato y el ratón

En este juego de persecución en círculo, los jugadores unen sus fuerzas para evitar que el «gato» cace al «ratón».

Jugadores: 8 o más, y un adulto o niño mayor que supervise

Edad: 5 a 10

Lugar: En casa, en una habitación espaciosa (retira el mobiliario y los objetos que se pueden romper), o al aire libre, en la hierba o pavimento

Equipo: Ninguno

«El gato y el ratón» es un juego en círculo para niños pequeños donde todos protegen al ratón, aunque en este caso, y a diferencia de los dibujos animados, el gato casi siempre gana.

Todos los jugadores menos dos se toman de la mano y forman un círculo. Uno de los dos restantes es el «ratón», que se sitúa dentro del círculo, y el otro, el «gato», que permanece fuera. El ratón empieza el juego pasando por debajo de las manos entrelazadas de dos jugadores y corriendo alrededor del círculo, intentando que el gato no lo atrape. Para escapar del gato, el ratón puede colarse de nuevo en el círculo en cualquier momento, mientras que el gato debe permanecer siempre fuera. Pero el ratón debe moverse continuamente y sólo puede permanecer en el círculo escasos segundos.

Los jugadores del círculo intentan ayudarlo a escapar de las zarpas del gato, levantando las manos para que pueda entrar con facilidad o bloqueando cualquier intento del gato de estirar el brazo dentro del círculo para darle caza. (El gato puede perfectamente estirar el brazo para intentar cazar al ratón dentro del círculo siempre que lo consiga, pero no puede poner un pie dentro.)

El juego continúa hasta que el ratón es atrapado, en cuyo caso se convierte en el nuevo «gato» mientras el anterior se incorpora al círculo, designándose a otro niño como «ratón».

Cierra la puerta

Un jugador va driblando a sus compañeros en el círculo para evitar que lo atrapen.

> **Jugadores:** 10 o más, y un adulto o niño mayor que supervise
>
> **Edad:** 5 a 10
>
> **Lugar:** En casa, en una habitación espaciosa (retira el mobiliario y los objetos que se pueden romper), o al aire libre, en la hierba o pavimento
>
> **Equipo:** Ninguno

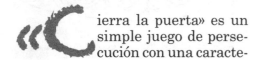

«Cierra la puerta» es un simple juego de persecución con una característica muy interesante. El jugar perseguido debe correr alrededor del círculo, entrando y saliendo de él, «cerrando las puertas», sin ser atrapado.

Primero todos los jugadores menos dos forman un círculo, separados a una distancia de un brazo estirado, y al principio con los brazos a los costados. Uno de los otros dos jugadores es el perseguidor y el otro es el perseguido. Empiezan el juego en lados opuestos del círculo.

El perseguidor echa a correr para atrapar al perseguido, el cual intenta zafarse entrando y saliendo del círculo. Cada vez que pasa de fuera a adentro (no de dentro a afuera), los dos jugadores entre los que ha pasado el perseguido se toman de la mano para «cerrar la puerta». El perseguido no tiene por qué cerrar puertas en un orden determinado, sino que puede entrar y salir del círculo a su antojo y en cualquier dirección. Pero una vez cerrada una puerta, ya no puede salir del círculo a través de ella. Durante todo el juego, el perseguidor permanece fuera del círculo intentando atrapar al perseguido.

Si éste consigue cerrar todas las puertas y ponerse a salvo dentro del círculo, gana. Pero si el perseguidor le da caza, se convierte en el nuevo perseguidor. El anterior se incorpora al círculo, intercambiando su lugar con otro jugador que ahora es el perseguido.

El zorro y los gansos

Este juego de persecución en círculo es ideal para la nieve o la arena, donde es fácil marcar el recorrido.

> **Jugadores:** 8 o más, y un adulto o niño mayor que supervise
>
> **Edad:** 6 a 12
>
> **Lugar:** Fuera de casa, en el pavimento, arena o nieve
>
> **Equipo:** Tiza, pala o rama para marcar el recorrido

«El zorro y los gansos» es muy divertido para jugar en la playa o en la nieve, donde es muy fácil marcar un recorrido circular en el área de juego.

Para preparar la actividad, un adulto o niño mayor traza un círculo de por lo menos 9 m de diámetro con 8-10 radios uniformemente separados desde el centro del círculo hasta la circunferencia. En la nieve, el círculo se puede trazar con la cara posterior de una pala, mientras que una rama o el borde de una pala son ideales para hacerlo en la arena o la tierra. La tiza va muy bien en una zona asfaltada de un parque infantil.

Se elige a un jugador como «zorro», que se coloca en el centro del círculo. Los demás son «gansos», cada uno de los cuales se sitúa en la confluencia de un radio con la circunferencia.

A una señal, el zorro empieza a perseguir a los gansos. Todos los jugadores, incluido el cazador, deben permanecer siempre en las líneas mientras corren de acá para allá.

Cuando dos gansos se encuentran, deben maniobrar con cuidado uno alrededor del otro para no pisar fuera de las líneas. Cuando el zorro se encuentra con un ganso, lo toca y se

convierte en otro zorro. Ahora serán dos los que anden al acecho de los gansos. El último ganso libre es el ganador, que se convierte en el zorro en la siguiente ronda.

El pulpo

En este juego de persecución, los «peces» deben evitar a toda costa ser presa de los tentáculos del «pulpo».

Jugadores: 8 o más, y un adulto o niño mayor que supervise

Edad: 4 a 10

Lugar: Fuera de casa, en la hierba o pavimento

Equipo: Piedras, ramas o tiza para marcar los límites del área de juego

En este juego de persecución de temática marina, los «pececitos» tratan de escapar del enorme y perverso «pulpo». A los niños pequeños les divierte fingir ser peces o pulpos, simulando nadar o jugar con los brazos como si fueran tentáculos.

En primer lugar, se delimita el área de juego: el «océano». No es necesario que tenga límites laterales, pero sí dos extremos claramente identificados. A continuación se designa a un jugador como el «pulpo» (el equivalente del perseguidor o del que «para» en otros juegos de persecución). Los demás jugadores, los «peces», se reúnen en el otro extremo del océano. Cuando el pulpo dice: «¡A nadar!», los peces intentan cruzar el mar sin ser atrapados.

Los jugadores que consiguen llegar al otro extremo, están a salvo. Cuando un jugador es atrapado, se convierte en los «tentáculos» del pulpo y lo ayuda a atrapar más pe-

ces en el siguiente cruce a nado. (Los tentáculos pueden moverse alrededor del pulpo o tomarlo de la mano formando una cadena que va creciendo en cada travesía.)

Los peces siguen cruzando el océano de un lado a otro hasta que todos menos uno han sido atrapados. El superviviente es el ganador y se convierte en el siguiente pulpo.

¡A cruzar!

En esta versión, se elige a un jugador como perseguidor, que se sitúa en el centro de un cuadrado claramente delimitado de 8 m de lado. Los demás se colocan en un lado. Cuando el perseguidor dice: «¡A cruzar!», los participantes intentan correr hasta el lado opuesto del cuadrado. Los jugadores atrapados o que salgan de los límites se unen al perseguidor en el centro. Ahora, los nuevos perseguidores, al unísono, dan la señal («¡A cruzar!»); los jugadores que han quedado echan a correr y los perseguidores intentan atraparlos. El juego continúa hasta que sólo queda un jugador sin atrapar. Es el ganador.

Los conejitos

En este rapidísimo juego de persecución no hay vencedores ni vencidos, sólo un montón de conejitos a la carrera.

Jugadores: 6 o más (en tres equipos de 3 jugadores), y otros 2 jugadores y un adulto o niño mayor que supervise

Edad: 5 a 10

Lugar: Fuera de casa, en la hierba o pavimento

Equipo: Ninguno

«Los conejitos» se diferencia de otros juegos de persecución en que los jugadores van cambiando de rol: de presa a cazador. Cada «conejito» está a salvo en su madriguera hasta que otro conejito «sin techo» se refugia en la suya y lo echa fuera. Los niños que quieran ir un poco más allá de los simples juegos de persecución en círculo, disfrutarán de la libertad que les ofrece «Los conejitos».

Primero se elige un jugador como el «cazador» (o perseguidor), y otro como el primer «conejito». Los demás se dividen en grupos de tres, dos de los cuales se toman de las manos para formar la madriguera.

El cazador empieza a perseguir al conejito sin techo, y cuando éste se cansa de tanto correr, puede intercambiar su lugar con uno de los conejitos ocultos en una madriguera.

Cuando un conejito es atrapado, se convierte en el cazador, y éste en un conejito. Llegados a este punto, los conejitos escondidos en madrigueras deberían intercambiar sus lugares con los jugadores que las forman. De este modo, todos tienen la oportunidad de correr y descansar. Luego se reanuda la cacería. El juego continúa mientras los conejitos corren.

La loncha de beicon

En este juego de velocidad y suspense, los equipos compiten para «robar» una loncha de «beicon».

Jugadores: 9 o más, y un adulto o niño mayor que supervise

Edad: 6 a 12

Lugar: Fuera de casa, en la hierba o pavimento

Equipo: Sombrero, pañuelo, pelota u otro objeto: el «beicon»; piedras, ramas o tiza para marcar los límites del área de juego

En este juego de persecución por equipos, sólo un miembro de cada bando está compitiendo activamente en un momento determinado. Se asigna un número a cada jugador, que no entrará en juego hasta que alguien diga su número. Es un juego excelente para una amplia variedad de edades, ya que, aunque es fácil de aprender, el elemento del suspense mantiene el interés (en el momento menos pensado se puede anunciar el número de un jugador). «La loncha de beicon» se puede jugar en un pequeño patio, una zona asfaltada o en el parque, en la hierba.

Primero se trazan dos líneas de límite separadas 6 m, colocando el «beicon» (un sombrero, pelota, pañuelo u otro objeto) en el centro. Luego los jugadores forman dos equipos iguales. Un jugador será el árbitro.

Los miembros de los equipos se colocan a lo largo de su línea de límites, frente a frente. A continuación, los participantes se numeran, de manera que los dos números iguales de los dos equipos estén frente a frente.

El juego se inicia cuando el árbitro dice un número. Los dos jugadores que lo tienen deben correr hasta el centro e intentar llevarse la loncha de beicon. Quien lo consigue debe ahora regresar a toda prisa hasta su línea de límites sin ser atrapado por el otro.

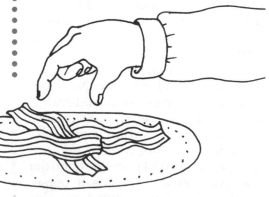

Quien lo logra anota 1 punto para su equipo. Si el «ladrón» es atrapado, no anota puntos. En ocasiones, los dos «ladrones» se detienen delante del beicon intentando engañar a su rival antes de robarlo. El primer equipo que alcanza un número predeterminado de puntos (habitualmente 21) es el ganador.

A la pata coja

En este juego de persecución, los jugadores no persiguen a sus oponentes corriendo, sino saltando sobre un pie.

Jugadores: 11 o más (a ser posible en número impar), y un adulto o niño mayor que supervise

Edad: 6 a 12

Lugar: Fuera de casa, en la hierba o pavimento

Equipo: Piedras, ramas o tiza para marcar los límites del área de juego

«A la pata coja» es un juego de persecución por equipos con una diferencia: en lugar de correr, los jugadores se persiguen saltando sobre un pie. Se requiere equilibrio y coordinación para saltar durante largos períodos de tiempo. Los espectadores se divierten muchísimo, pero los participantes aún más.

Primero se delimita un área de juego de por lo menos 20 m de longitud por 5 m de anchura. Los límites se pueden marcar con piedras, ramas o tiza dependiendo de la superficie de juego. A continuación, se dibuja un círculo de 2 m de diámetro en medio del campo. Los jugadores forman dos equipos iguales y uno de ellos es el perseguidor. Si el número de participantes es par, en cada ronda uno de los niños deberá sentarse y observar.

Los dos equipos se colocan detrás de sus líneas de límite en extremos opuestos del campo. El perseguidor se sitúa en el centro del círculo, y cuando da la señal, todos los demás deben saltar a la pata coja desde un extremo a otro del área de juego. Mientras el perseguidor está dentro del círculo, puede tener los dos pies en el suelo, pero cuando sale, también debe saltar. Intentará atrapar al mayor número posible de jugadores mientras intentan cruzar el campo. Los atrapados quedan eliminados y deben abandonar el área de juego.

Excepto el perseguidor, los participantes que apoyan el otro pie también quedan eliminados, y si se trata del perseguidor, debe regresar al círculo antes de emprender de nuevo la persecución. Quien llega al otro extremo del área de juego está a salvo y puede apoyar los dos pies.

El equipo con un mayor número de participantes a salvo en el extremo opuesto gana el juego.

El león rojo

En este juego de caza, persecución y captura los jugadores se burlan del perseguidor.

Jugadores: 8 o más, y un adulto o niño mayor que supervise

Edad: 7 a 12

Lugar: Fuera de casa, en la hierba o pavimento

Equipo: Ninguno

«El león rojo» es un juego de persecución cuyos orígenes se remontan a la época colonial, cuando se llamaba «Red Line», una referencia a las tropas británicas vestidas con aquellas casacas rojas de infausta memoria. Desde entonces, el juego ha evolucionado hasta convertirse en una especie de circo: el león hambriento, guardado por un vigilante, acecha en su guarida esperando la oportunidad de capturar a sus observadores, que se ríen de él. Dado que las limitaciones físicas son un factor importante en este juego, los jugadores deben repartirse según su estatura y fuerza.

Primero se elige a un jugador para que sea el «león» (el perseguidor) y a otro que será el «vigilante». El león establece su «guarida» y permanece de pie. El vigilante se mantiene cerca.

Para empezar, todos los jugadores se colocan alrededor de la guarida del león cantando: «¡León rojo, león

rojo, sal de tu guarida! ¡Si me atrapas seré otro león!». Cuando así lo decide, el león empieza a perseguir a los jugadores hasta atrapar a uno. El cautivo intentará escapar de sus zarpas, pero si el león es capaz de rugir «León rojo» tres veces antes de que el prisionero consiga zafarse de él, el atrapado se convertirá en otro león. Ahora, los dos grandes felinos regresan a la guarida y el juego continúa.

Cuando hay varios leones en la guarida, el vigilante puede hacer el juego más interesante dando instrucciones especiales inmediatamente después de soltar a uno. Si dice: «¡A cazar la vaca!», los jugadores sólo pueden ser atrapados si dos leones se toman de las manos y atrapan al cautivo con los brazos unidos, y si grita: «¡En corro!», todos los leones deben tomarse de las manos e intentar rodear a alguien. Si dice: «¡Dobles!», los leones deben tomarse de las manos y cazar por parejas, aunque no tienen por qué atrapar a sus presas entre los brazos como en «¡A cazar la vaca!». El último niño que evita convertirse en león es el ganador, y los dos primeros jugadores capturados se serán el león y el vigilante en la siguiente ronda.

Veneno

El primer jugador que sale del círculo se convierte en el «veneno» del que los demás deben huir.

Jugadores: 8 o más, y un adulto o niño mayor que supervise

Edad: 7 a 12

Lugar: Fuera de casa, en la hierba, tierra o arena

Equipo: Ramas para dibujar el círculo

«Veneno» es un juego de persecución en el que sólo hay una forma de determinar quién es el perseguidor, además de unas pocas reglas especiales. Antes de empezar, se dibuja en el suelo un círculo de 1 m de diámetro (lo bastante pequeño como para que dos jugadores puedan rodearlo con los brazos entrelazados). Si se juega en la tierra o la arena, el círculo se puede trazar con una rama, y en la hierba, con varias ramas. Dado que los tropezones y caídas son frecuentes, es aconsejable elegir una superficie blanda, como la arena. También es una buena idea distribuir a los jugadores equilibrándolos por su estatura y fuerza.

Ahora todos los participantes entrelazan los brazos a la altura del codo y forman un aro alrededor del círculo. Juntos, eligen un material que se considerará «seguro» para la ronda que está a punto de empezar. Cuando un jugador lo toca, el material le ofrece protección y no puede ser atrapado. Puede ser madera, tela, piedra o agua. Cualquier objeto o superficie de este material será «seguro».

La acción se inicia cuando el adulto o niño mayor que supervise el juego da una señal preacordada. Los jugadores, con los brazos entrelazados, forcejean, tiran y empujan a sus compañeros para obligarlos a pisar o entrar en el círculo (¡no vale el juego sucio ni el uso de la violencia!). El primer jugador que entra en el círculo se convierte en perseguidor. En este momento, todos los demás gritan: «¡Veneno!» y echan a correr buscando un material seguro. El mismo material lo puede usar más de un participante. Si por ejemplo el material seguro es el agua, varios jugadores pueden apresurarse hacia un surtidor.

El perseguidor sale inmediatamente en su búsqueda. Si todos los jugadores consiguen ponerse a salvo sin ser atrapados, termina la ronda y el perseguidor queda eliminado. Pero si atrapa a uno antes de que alcance el material seguro, el niño atrapado queda eliminado. Ahora se forma de nuevo el círculo, se elige otro material seguro y empieza la siguiente ronda. (Si se requiere un nuevo perseguidor, competirán igual que antes para obligar a uno a pisar el círculo.)

El juego continúa hasta que sólo quedan dos jugadores en liza, que competirán para ver quién obliga al otro a entrar en el círculo, siempre con los brazos entrelazados. El que queda fuera gana.

Calles y callejones

En este emocionante juego de persecución el recorrido cambia constantemente.

Jugadores: 15 o más, y un adulto o niño mayor que supervise

Edad: 7 a 12

Lugar: Fuera de casa, en la hierba o pavimento

Equipo: Ninguno

Dado que se necesitan por lo menos 15 niños para jugar a «Calles y callejones», es una actividad ideal para realizar en el patio de la escuela, un campamento de verano o una gran fiesta. Los niños se lo pasan muy bien con la velocidad del juego y los inesperados cambios de dirección que complican la persecución.

Para crear el recorrido, todos los jugadores menos tres forman tres grupos de una complexión física lo más similar posible. Los miembros de cada grupo se toman de las manos con los brazos estirados a los lados para crear tres filas paralelas. Si juegan 15, por ejemplo, habrá 4 niños en cada fila, y otros 3 (por el momento) de pie a su lado. Las filas están separadas entre 1,5 y 2 m y los jugadores de cada fila miran en la misma dirección. Los pasillos entre las filas son las «calles».

Los tres niños restantes son el corredor, el cazador y el voceador. El corredor empieza en el extremo de una calle; el cazador, al principio, de frente a las filas, y luego persigue al corredor a lo largo del recorrido. El voceador, que también se sitúa de frente a las filas, da la señal de empezar. El corredor echa a correr por las calles con su perseguidor pisándole los talones.

En cualquier momento el voceador puede gritar: «¡Callejones!», en cuyo caso, los jugadores situados en las filas dejan caer inmediatamente las manos, se vuelven a la derecha y toman de las manos a sus nuevos compañeros (en el juego de 15, ahora habrá cuatro filas de 3 jugadores). Los pasillos formados entre las nuevas filas deben cambiar ahora rápidamente de dirección, reanudándose la persecución.

El corredor y el cazador deben limitar la persecución a las calles y callejones; no pueden pasar por debajo de las manos unidas de los demás jugadores. El voceador continúa: «¡Calles!» y «¡Callejones!» a su antojo. El corredor y el cazador siguen corriendo a través de las filas de jugadores hasta que el corredor es atrapado. Los participantes empiezan cada ronda con la formación de calles, con un nuevo corredor, cazador y voceador.

Las callejuelas

En esta versión más sencilla de «Calles y callejones», los jugadores que corren no cambian de dirección, de manera que no hace falta un voceador. Los niños forman filas de cuatro o cinco, y el cazador persigue al corredor arriba y abajo por estas callejuelas. Una vez formadas las filas, no cambian. Cuando el corredor llega al final de una callejuela, rodea al último de la fila y reanuda la carrera por la nueva callejuela. El juego continúa hasta que el perseguidor atrapa al corredor, eligiéndose un nuevo corredor y cazador para la siguiente ronda.

Capturar la bandera

En esta carrera para capturar «banderas» detrás de las líneas enemigas, los corredores rápidos y sigilosos juegan con ventaja.

Jugadores: 8 o más (número par), y un adulto o niño mayor que supervise

Edad: 8 a 14

Lugar: Fuera de casa, en un área grande de hierba

Equipo: Pañuelo, foulard o retal de tela para cada jugador (preferiblemente de diferentes colores para cada equipo); piedras, ramas, conos de tráfico, tiras de tela o un trozo largo de cuerda para delimitar el área de juego

«Capturar la bandera» es un juego de equipo en el que los jugadores intentan «conquistar» pañuelos («banderas») del territorio del equipo rival sin ser atrapados. Es un juego divertidísimo para niños lo bastante mayorcitos como para ser capaces de seguir las reglas.

Primero se delimita un área de juego de por lo menos 9 m de longitud y se divide por la mitad mediante una línea. A continuación, los jugadores forman dos equipos iguales.

Cada participante coloca un pañuelo en la parte de su territorio más alejada de las posiciones enemigas. Si es posible, los pañuelos deben ser de dos colores diferentes, uno para cada equipo. Los retales grandes de sábanas viejas, por ejemplo, también pueden servir, con marcas que diferencien las de los dos equipos. Una vez situadas las banderas, los contendientes ocupan sus puestos en su territorio, la mitad del área de juego delimitada por la línea central, y esperan a que el supervisor dé la señal de inicio.

El objetivo del juego es capturar todas las banderas del otro equipo. La única forma de hacerlo es infiltrándose en territorio enemigo y llevándose una sin ser atrapado por un jugador del equipo rival antes de alcanzarla. Una vez que la bandera está en su poder, el conquistador puede regresar caminando a su territorio y colocarla detrás de la línea fronteriza como botín de guerra. Durante su regreso, nadie puede atraparlo.

Pero si lo atrapan antes de llegar hasta una bandera, tendrá problemas. Se convierte en prisionero de guerra y debe situarse detrás de la línea fronteriza del territorio enemigo. El único modo de escapar es que otro jugador de su equipo lo toque sin ser atrapado. Un jugador puede liberar a tantos prisioneros de su equipo como pueda siempre que no sea atrapado. Pero después de haberlos liberado no puede seguir adelante en busca de una bandera, sino que primero tiene que regresar a su territorio. Un prisionero liberado puede regresar a su territorio sin riesgo de volver a ser capturado, pero también debe esperar a llegar hasta allí antes de emprender una nueva misión para capturar una bandera o rescatar prisioneros.

Suele ser habitual que los equipos envíen varios comandos a la vez. Varios jugadores cruzan la línea fronteriza con la esperanza de que, al menos uno, consiga capturar una bandera (o liberar prisioneros), mientras los demás realizan movimientos de engaño en su propio territorio hasta que inician el ataque.

El primer equipo que captura todas las banderas enemigas es el ganador. «Capturar la bandera» también se puede jugar con un límite de tiempo. En tal caso, el equipo que ha capturado más banderas al agotarse el tiempo gana el juego.

Una versión más complicada de este juego se puede desarrollar en cualquier área grande de terreno.

En esta versión, sólo hay una bandera por equipo, que se coloca en un lugar alejado de la línea, en una zona retrasada de cada territorio. Cada equipo conspira para conquistar la bandera enemiga y proteger la propia. No basta con alcanzar la bandera sin ser atrapado, sino que hay que capturarla y regresar rápido al propio territorio, evitando ser alcanzado. Si se logra, el equipo gana, y si no, la bandera queda en el lugar donde fue atrapado el intruso y éste es encarcelado.

La cárcel suele ser un árbol o la pared de una casa, y el cautivo debe permanecer allí hasta ser liberado. Los prisioneros pueden tomarse de las manos formando una cadena, con un extremo tocando la cárcel. Bastará que el rescatador toque una mano del extremo de la cadena para que todos queden libres. Como la bandera, la cárcel debería disponer de un guardián. Cuando un equipo consigue capturar la bandera enemiga, gana.

La gallinita ciega

En este juego en círculo, un jugador intenta, con los ojos vendados, identificar a los demás sólo con el tacto.

Jugadores: 6 o más, y un adulto o niño mayor que supervise

Edad: 4 a 12

Lugar: Dentro de casa, en una habitación espaciosa (retira el mobiliario y los objetos que se puedan romper) o al aire libre, en la hierba o pavimento

Equipo: Venda (pañuelo, foulard o bufanda)

«La gallinita ciega», que se remonta a la antigua Grecia, ha experimentado innumerables modificaciones hasta convertirse en el juego actual. Algunas de las versiones anteriores implicaban golpear a otros jugadores con una rama o vara larga, pero el juego actual es inocuo. «La gallinita ciega» está indicada para jugadores de todas las edades, y cuantos más, tanto mejor. Es un juego extraordinario para una fiesta y se puede organizar de formas muy diferentes.

En la versión más común de «La gallinita ciega», un adulto que supervise el desarrollo del juego venda los ojos de un jugador con un foulard o bufanda, y luego lo guía hasta el cen-

tro de un círculo formado por los demás. Los jugadores que forman el círculo se toman de las manos y caminan en una dirección hasta que el «ciego» da tres palmadas. A esta señal, el círculo se detiene y el ciego señala al azar a un jugador. El designado debe aproximarse a él y permanecer inmóvil mientras aquél intenta identificar al «cautivo» tocándole la cara, el pelo y la ropa. Tiene dos oportunidades para identificarlo.

Si acierta, el identificado ocupa su lugar en el centro, y si se equivoca, el juego se reanuda.

También se puede jugar sin círculo. En esta versión, los participantes se dispersan por el área de juego, deteniéndose al oír tres palmadas. Entonces, el ciego da tres vueltas antes de salir, casi siempre con los brazos extendidos al frente, en busca de los demás. (En el caso de jugadores pequeñines, el adulto supervisor puede guiarlos un poco. En cualquier caso, el área de juego debe estar libre de obstáculos en los que pudieran tropezar.) El primer jugador localizado e identificado ocupa el puesto del ciego en la siguiente ronda.

Sonido

En esta versión, el sentido del oído sustituye al del tacto para identificar a otros jugadores. Al igual que en el juego original, los participantes forman un círculo alrededor del ciego. Mientras el círculo se mueve, los niños cuentan hasta diez. Al llegar a diez, el ciego señala a un jugador y le ordena que haga un sonido (o hace él mismo un sonido para que el otro lo imite). La orden podría ser: gruñe como un cerdo, llora como un bebé, ladra como un perro, etc. El «cautivo» puede intentar disimular su voz para confundir al ciego. Si adivina su identidad en uno o dos intentos, intercambian los roles. De lo contrario, el juego se reanuda, y el ciego sigue actuando como tal hasta que identifica correctamente a un «cautivo».

Colin Maillard

«Colin Maillard», en recuerdo de un soldado belga invidente que vivió hace mil años, requiere sillas para todos los jugadores menos uno. Los participantes se sientan en las sillas, en círculo, alrededor del niño «ciego», que permanece de pie en el centro. Cuando está listo, a una señal del supervisor, el ciego (Colin Maillard) avanza hacia un jugador y se sienta en su regazo. Luego Colin debe identificarlo sin tocarlo. En ocasiones, las risitas nerviosas le ofrecen la clave para reconocer su identidad. Si acierta en un intento, quien estaba sentado se convierte en Colin Maillard en la siguiente ronda, le vendan los ojos y los demás jugadores cambian de sitio.

Ladrones

Un ciego capturando «ladrones». ¡Asombroso!

Jugadores: 5 o más, y un adulto que supervise y vende los ojos

Edad: 5 a 10

Lugar: En casa, en una habitación espaciosa (retira el mobiliario y los objetos que se pueden romper) o al aire libre, en la hierba o pavimento

Equipo: Venda (foulard o bufanda); periódico; juguetes, caramelos, bisutería, monedas y otros premios (el botín)

«Ladrones» es un juego de astucia y sigilo que requiere rapidez de reflejos. Un jugador con los ojos vendados se mueve rápidamente para capturar a los demás, que intentan robarle su botín. Es un juego ideal para fiestas, ya que los niños pueden quedarse con los objetos que «roban» a modo de premio. Bastará asegurarse de que todos tienen la oportunidad de ser un ladrón.

El supervisor venda los ojos a un niño y le da un rollo de papel de periódico para que guarde un «tesoro» (caramelos, juguetes pequeños, bisutería, monedas, etc.) colocado frente a él. Es preferible que esté sentado. Los demás participantes forman un gran círculo a su alrededor.

Los jugadores situados en el círculo intentan, por turnos, acercarse furtivamente para robar tantos objetos como sea posible. Deben hacerlo con el máximo silencio para evitar ser descubiertos por el jugador ciego. Si oye a un ladrón, dice: «¡Ladrón, ladrón!» e intentará golpearlo con el periódico sin ponerse de pie.

Si lo atrapa, regresará al círculo con las manos vacías y será el turno de otro jugador. La ronda termina cuando todos los niños han visitado el botín, y si por casualidad el jugador ciego ha conseguido conservar algún objeto, es el ganador.

Juegos de pelota

Teniendo en cuenta que el número de juegos que se pueden organizar con una pelota es ilimitado, este capítulo se limitará simplemente a ofrecer una pequeña muestra de las innumerables posibilidades de juego. Las actividades abarcan todos los grupos de edad: juegos en círculo para preescolares, juegos de lanzar y atrapar para niños un poco mayorcitos, y juegos asociados a deportes para quienes ya están preparados para un juego más sofisticado. Muchos de los juegos emplean una «pelota de patio», de espuma, grande y blanda, y otros pelotas de tenis, de baloncesto, de fútbol e incluso Frisbees. Algunos juegos requieren más equipo, y así se indica en cada apartado. Casi todos están diseñados para ponerse en práctica al aire libre, en su mayoría en un área alejada del tráfico, de un paso de peatones y de ventanas u otros objetos que se puedan romper. Los juegos en los que los niños se lanzan pelotas unos a otros deben desarrollarse bajo la supervisión de un adulto.

Pasa la pelota

La creatividad es crucial en este sencillo juego de competición en círculo.

Jugadores: 10 o más (número par), y un adulto que supervise

Edad: 3 a 8

Lugar: Fuera de casa, en la hierba o pavimento, o en casa, en una habitación muy espaciosa (retira el mobiliario y los objetos que se pueden romper), garaje, etc.

Equipo: 2 pelotas de espuma

En su versión más básica, «Pasa la pelota» es un juego de pases de pelota en círculo para niños pequeños. Se juega con dos equipos que se colocan en círculo. Cada equipo intenta ser el primero en pasar la pelota alrededor del círculo cinco veces. Los métodos de pase complicados y las acrobacias dificultan este juego. Durante el proceso, los niños perfeccionan sus habilidades de pasar y atrapar, y aprenden en qué consiste el trabajo en equipo y la cooperación.

Primero los jugadores forman dos equipos iguales y eligen un capitán. Luego, cada equipo forma un círculo, con los participantes separados entre 1 y 2 m dependiendo de la edad y el nivel de habilidad. Los capitanes reciben una pelota de espuma.

A la señal de «¡Preparados, listos, ya!», cada capitán lanza la pelota al jugador de su derecha, y así sucesivamente lo más rápido posible. Cuando la pelota ha completado un círculo y vuelve a las manos del capitán, éste grita: «¡Uno!», mientras la sigue pasando sin tiempo que perder. El capitán cuenta cada ronda. Si la pelota cae al suelo, se devuelve al capitán y vuelta a empezar.

Los participantes que ya tienen cierta experiencia en pasar y atrapar una pelota, pueden variar la técnica de pase haciéndolo de una forma determinada, como por ejemplo pasarla por debajo de las piernas, por detrás de la espalda o con un bote.

El primer equipo que completa cinco rondas es el ganador. Cuando la pelota completa su quinto círculo, el capitán la sostiene en alto y grita: «¡Cinco!» para anunciar la victoria.

La bolera

Los guardametas en ciernes pueden poner a prueba su capacidad de bloqueo en este juego en círculo.

Jugadores: 8 o más

Edad: 4 a 10

Lugar: Fuera de casa, en la hierba o pavimento

Equipo: Pelota de espuma o de fútbol

Aunque «La bolera» es bastante sencillo para los niños pequeños, la cosa se complica cuando se le añade velocidad. Los jugadores ponen a prueba sus reflejos mientras intentan evitar que una pelota pase entre sus piernas.

En primer lugar, todos los niños menos uno forman un círculo, a 1 m de distancia unos de otros, con las piernas abiertas y las manos apoyadas en las rodillas. El jugador que queda se sitúa en el centro del círculo.

El juego empieza cuando el jugador del centro hace rodar la pelota por el suelo con las manos, en una especie de movimiento de bo-

los, con la intención de hacerla pasar entre las piernas de cualquier compañero del círculo. El movimiento de la pelota puede ser rápido o lento, pero la pelota no debe botar. Los demás deben bloquear la pelota con las manos o cerrando las piernas. En cualquier caso, mientras no tienen que intervenir, deben mantener la posición inicial.

Cuando el jugador del centro marca un gol, se incorpora al círculo, ocupando el puesto de quien no consiguió detener el tiro, que se sitúa en el centro. El juego continúa hasta que se acuerda darlo por terminado.

¡Atrápala si te llaman!

En este rapidísimo juego los participantes deben reaccionar al oír su apodo.

Jugadores: 5 o más, y un adulto que supervise

Edad: 6 a 11

Lugar: Fuera de casa, en el pavimento

Equipo: Pelota de tenis

En «¡Atrápala si te llaman!», los jugadores deben apresurarse a atrapar la pelota cuando oyen el apodo que les ha sido asignado. Este juego desarrolla la velocidad, la agilidad, la habilidad para atrapar una pelota y el tiempo de reacción. Asimismo, potencia la memoria, ya que cada cual debe recordar su apodo y el de sus oponentes.

Es aconsejable jugar en el pavimento u otra superficie dura que permita el bote de la pelota.

Antes de empezar, cada jugador recibe un apodo. Pueden ser días de la semana, meses del año, nombres de animales, flores, etc. ¡Sé creativo! Para grupos muy numerosos, se pueden asignar números.

Un jugador hace botar la pelota con toda su fuerza y dice el apodo de otro. Tan pronto como la pelota sale de la mano del que bota, los demás jugadores echan a correr, todos excepto el que ha sido llamado, que debe intentar atrapar la pelota antes de que toque de nuevo el suelo. Si lo consigue, ese jugador botará ahora la pelota y llamará a otro, que correrá para atraparla. El juego continúa hasta que alguien no logra atraparla; en ese caso pierde 1 punto y grita «¡Alto!» tan pronto como la ha recogido. Al oírlo, todos los demás se quedarán inmóviles, y quien no atrapó la pelota la lanzará a otro jugador (¡a la cara no, por favor!), excepto al que dijo su apodo. Si lo toca, éste pierde 1 punto y gana la posesión de la pelota, pero si falla, pierde otro punto, recuperando la pelota el que la botaba antes. El juego continúa, atrapando y lanzando la pelota.

Cuando un jugador pierde 3 puntos, queda eliminado. El último jugador en juego es el ganador.

Pelota central

Este juego ofrece una amplia variedad de acciones: es un juego en círculo, de persecución y de hacer rodar la pelota.

Jugadores: 10 o más, y un adulto que supervise

Edad: 7 a 12

Lugar: Fuera de casa, en la hierba o pavimento

Equipo: Pelota de espuma, baloncesto o voleibol

A pesar de su formato en círculo, «Pelota central» no es un juego para preescolares, pues es bastante complicado, lo cual no va en detrimento de la diversión, desarrollando la velocidad, el pase y la habilidad de atrapar una pelota en los jóvenes atletas.

Se puede jugar en la hierba o el pavimento. Antes de empezar, todos los jugadores menos uno se colocan en círculo lo bastante lejos como para que, al estirar el brazo, sus dedos apenas rocen los de sus compañeros.

El jugador que queda se sitúa en el centro del círculo con la pelota.

El juego se inicia cuando quien está en el centro lanza la pelota a cualquier jugador y luego pasa corriendo a su lado, saliendo del círculo. Si el jugador a quien se ha lanzado la pelota la atrapa, se dirige inmediatamente al centro del círcu-lo, coloca la pelota en este lugar y emprende la persecución de quien la lanzó. El objetivo es ahora atraparlo antes de que encuentre un modo de entrar de nuevo en el círculo y tocar la pelota. Si lo consigue, vuelve a lanzar la pelota, y si no, se intercambian los puestos, de manera que el receptor pasa a ser el lanzador.

Sin embargo, si el receptor no ha logrado atrapar la pelota, no hay carrera ni persecución. El lanzador regresa al centro del círculo y lanza de nuevo.

El juego continúa hasta que los niños acuerdan darlo por terminado.

El mono

Dos jugadores se pasan la pelota intentando evitar que la atrape el «mono».

Jugadores: 3

Edad: 6 a 12

Lugar: Fuera de casa, en la hierba o pavimento

Equipo: Pelota de espuma

En «El mono» no hay ganadores ni perdedores, sino que es una competición de dos contra uno con constantes alternativas. El objetivo de los dos jugadores es evitar que el «mono», que está en medio, se lleve la pelota. Los jugadores deberían tener una estatura y capacidad atlética similares para que el juego resulte equilibrado.

Para empezar, dos jugadores se sitúan a 3 m de distancia mientras el tercero permanece en el centro entre los dos. Los jugadores exteriores empiezan a lanzarse la pelota intentando mantenerla alejada del mono, el cual, entretanto, intenta interceptarla de cualquier forma posible, incluso arrebatándosela al jugador que se le ha caído. Es habitual que el mono corra constantemente y se aproxime a los jugadores para dificultar los pases e intentar así ganar la posesión de la pelota.

El último jugador que ha tocado la pelota antes de que el mono la atrape, se convierte en el nuevo mono. El juego continúa hasta que los jugadores deciden dejar de jugar.

Pases en grupo

Esta versión, ideal para 8-20 niños, es un juego de equipo que se rige por el mismo principio que «El mono», es decir, evitar que el oponente atrape la pelota. Se juega en un gran campo de juego, como los patios de escuela. Los jugadores forman dos equipos de un número aproximado de miembros. Dado que los equipos se mezclan en el campo, uno de ellos debería llevar un distintivo (gorra, foulard, etc.) que lo diferencie del equipo rival.

Un equipo empieza a pasarse la pelota de jugador en jugador, intentando evitar que sea interceptada por cualquiera de los jugadores del otro equipo, al tiempo que éstos intentan atraparla de cualquier forma posible, exceptuando golpes y empujones. No hay principio ni final. El juego finaliza cuando los jugadores están exhaustos. El equipo ganador se puede dilucidar por el que ha tenido más tiempo la pelota en su poder, aunque difícilmente se pondrán de acuerdo.

La patata

En este bullicioso juego de lanzar y atrapar, los jugadores intentan evitar que les golpee la pelota.

Jugadores: 4 o más, y un adulto que supervise

Edad: 6 a 12

Lugar: Fuera de casa, en la hierba o pavimento en un gran espacio abierto sin tráfico, peatones ni ventanas

Equipo: Pelota de espuma

«La patata» es un popularísimo juego de pelota que se puede jugar en la hierba o el pavimento y con jugadores de casi todas las edades. También es muy habitual en los patios de escuela. «La patata», un juego bullicioso donde los haya, requiere una buena técnica para atrapar la pelota y puntería. La velocidad también es importante.

Aunque la pelota es blanda, es aconsejable apuntar del cuello para abajo.

Un jugador tiene la pelota y los demás se reúnen a su alrededor. Luego la arroja al aire mientras dice el nombre de otro jugador. Mientras éste se apresura a atraparla, los demás se dispersan tan deprisa como pueden. Si el jugador atrapa la pelota antes de que bote, puede lanzarla al aire de nuevo y decir otro nombre. De lo contrario, debe recogerla y gritar: «¡Patata!». Al oírlo, los demás jugadores se detendrán.

A continuación, quien tiene la pelota elige a un jugador: su objetivo. Puede dar cuatro pasos de gigante hacia la víctima, luego deletrear P, A, T, A, T, A y lanzar la pelota. Si acierta, se asigna la letra «P» a la víctima. No obstante, si el objetivo atrapa la pelota o el lanzador falla el tiro, se asigna la letra «P» al lanzador. El jugador penalizado inicia la siguiente ronda arrojando la pelota al aire y diciendo el nombre de otro jugador.

El juego continúa, asignando letras de los participantes (primero la «P», luego la «A», luego la «T», etc.) hasta que uno completa la palabra «P-A-T-A-T-A», quedando eliminado. El juego puede concluir aquí o continuar hasta que sólo quede un jugador, el ganador.

Bebé al aire

Las reglas de este juego son similares a las de «La patata», aunque en este caso se asigna un número a cada jugador antes de empezar. En lugar de anunciar el nombre, el jugador que lanza la pelota al aire, dice un número, y quien lo tiene asignado se apresura a atraparla. En esta versión, el lanzador puede dar tres pasos de gigante hacia su objetivo. En este caso, las letras de penalización no son «P-A-T-A-T-A», sino «B-E-B-E». Como es natural, la duración del juego se acorta.

Atrapar la pelota

En este juego en círculo los jugadores demuestran su destreza en pasar e interceptar la pelota.

Jugadores: 12 o más, y un adulto que supervise

Edad: 7 a 14

Lugar: Fuera de casa, en la hierba o pavimento

Equipo: Pelota de espuma, fútbol o baloncesto

«Atrapar la pelota» es buen un juego para un gran grupo y un área de juego reducida. Al jugarse en círculo, queda delimitado, aunque la emoción y diversión son las mismas que en muchos juegos que se disputan en áreas más grandes. Los jugadores deben ser ágiles y veloces mientras intentan interceptar una pelota lanzada de un extremo a otro del círculo. Los niños más pequeños pueden empezar con una pelota de espuma grande, y los más mayores utilizar una de fútbol o baloncesto.

Primero todos los jugadores menos uno forman un gran círculo, y el que queda se sitúa en el centro. El juego se inicia cuando los niños situados en el círculo empiezan a pasarse la pelota, que se puede lanzar a cualquier otro jugador del círculo y a cualquier velocidad. El jugador del centro intenta interceptarla o bloquear el pase. También puede quitársela de las manos a otro (¡sin violencia!).

Si el jugador del centro consigue interrumpir el movimiento de la pelota, intercambia su sitio con el último que la ha tocado. Si a un jugador situado en el círculo se le cae la pelota o realiza un lanzamiento exagerado e imposible de atrapar, se sitúa en el centro. El juego continúa hasta que los participantes deciden darlo por terminado.

Esquivar la pelota

Independientemente de la posición de los jugadores, el objetivo es esquivar la pelota.

Jugadores: 10 o más (número par), y un adulto que supervise

Edad: 6 a 12

Lugar: Fuera de casa, en un gran espacio abierto, o en casa, en un garaje muy espacioso y despejado de obstáculos

Equipo: Pelota de espuma; piedras, ramas, tiza o cinta adhesiva para marcar la pista

«Esquivar la pelota» es uno de los juegos más populares en todo el mundo y con el que casi todos habremos disfrutado en nuestra infancia. Los niños tienen la oportunidad de liberar su exceso de energía atacando a un «enemigo», un concepto éste, «atacar», perfectamente aceptable en este juego. Asimismo se fomenta la velocidad, agilidad y puntería. Hay que tener cuidado de no lanzar la pelota demasiado fuerte o a la cabeza de un oponente. La supervisión de un adulto es imprescindible.

La versión básica de «Esquivar la pelota» se juega en una pista cuadrada de 10 m de lado, cuyos límites se marcan con ramas, piedras o tiza. Luego se divide en dos con una línea central. Los jugadores forman dos equipos iguales y se colocan uno a cada lado de la línea.

El juego empieza cuando un jugador lanza la pelota a otro del equipo rival. Si acierta, queda eliminado, pero si consigue atraparla, es el lanzador el que queda fuera de juego. Si la pelota bota antes de golpear a alguien, nadie queda eliminado. Tanto si la pelota ha golpeado en un jugador como si no, quien la recupera gana su posesión y la lanza inmediatamente contra un jugador del otro equipo. Si la pelota rueda o sale de la pista, un jugador del equipo más próximo a la línea la recupera y la pone de nuevo en juego.

El juego continúa, con la pelota yendo y viniendo, y los jugadores atrapándola o recibiendo su impacto. Rebasar la línea central o los límites de la pista acarrea la eliminación.

El primer equipo que elimina a todos los jugadores del equipo rival es el ganador.

Cárcel

Esta versión se juega igual que «Esquivar la pelota», excepto que los jugadores eliminados no quedan necesariamente fuera de juego durante toda la partida. Un jugador que recibe el impacto de la pelota o sale de la pista entra en la «cárcel» y debe alinearse a un lado de la pista. Si un niño atrapa la pelota, el lanzador es enviado a la cárcel, y el que la atrapa libera a un jugador de su propio

equipo, que se reincorpora al juego. Si los jugadores deciden dar por terminado el juego antes de que un equipo haya sido completamente eliminado, el que cuente con más jugadores en pista es el ganador. Esta versión es ideal para 20 o más jugadores y se puede jugar con varias pelotas al mismo tiempo para acelerar la acción.

Pelota griega

Esta versión es similar a la anterior, exceptuando que los prisioneros se alinean detrás de la pista del equipo rival, de cara a sus compañeros, participando mucho más activamente incluso desde la cárcel. Si una pelota bota o rueda hasta ellos a través de las filas enemigas o uno de sus compañeros de equipo la lanza por encima del equipo rival y los prisioneros consiguen atraparla, pueden usarla inmediatamente para atacar al enemigo desde atrás. Si un prisionero acierta y le da a un oponente, queda liberado, y la desdichada víctima es encarcelada.

Bombardeo

Es muy similar al juego original, con la salvedad de que cuando un jugador recibe el impacto de la pelota, debe colocarse entre los jugadores del equipo contrario en el otro lado de la pista. Desde allí, intenta atrapar las pelotas que lanzan sus compañeros de equipo. Si lo consigue antes de que toquen el suelo puede reincorporarse a su equipo. Los equipos tratan de reagruparse lanzando la pelota hacia los que están en la otra pista. Pero cuidado, un lanzamiento suave y bien dirigido a un compañero de equipo es fácil de interceptar y puede propiciar un contraataque fulminante.

Fuego cruzado

Esta versión se juega igual que «Esquivar la pelota», con la diferencia de que se usan cuatro pelotas por cada diez jugadores. Las pelotas se distribuyen entre los equipos al principio del juego y se juegan simultáneamente. Un jugador que recibe el impacto de una pelota no queda eliminado, sino que se incor-

pora al otro equipo. El juego continúa hasta que todos los jugadores están en un lado de la pista (¡o hasta que se hayan quedado sin aliento!).

El pelotón de fusilamiento

En lugar de jugarse en una pista dividida en dos, en esta versión se utiliza una pared sin ventanas. Un equipo se alinea de espaldas a la pared, mientras que el otro (el «pelotón») lo hace de frente al enemigo, a 5 m de la pared. Los jugadores de cada línea deben estar separados unos 60-90 cm.

Los integrantes del pelotón se turnan lanzando la pelota a cualquier jugador de la pared. Los jugadores de la pared pueden, claro está, atraparla, aunque no pueden alejarse más de 1 m de la pared. Quien recibe un impacto queda eliminado, y si el presunto «fusilado» consigue atrapar la pelota, queda eliminado el que la lanzó. El equipo con menos participantes en juego es el ganador.

Esquivar la pelota en círculo

En este clásico juego de patio de escuela los jugadores situados en el círculo deben esquivar la pelota.

Jugadores: 10 o más (número par), y un adulto que supervise

Edad: 6 a 10

Lugar: Fuera de casa, en un gran espacio abierto, o en casa, en un garaje muy espacioso y despejado de obstáculos

Equipo: Pelota de espuma

Como su propio nombre indica, este juego es igual que «Esquivar la pelota» pero en círculo. Al igual que en el juego original, el objetivo es evitar recibir el impacto de la pelota. Sin embargo, dado que esta versión queda limitada dentro de un círculo, resulta aún más emocionante. No hay que lanzar la pelota demasiado fuerte ni a la cabeza. «Esquivar la pelota en círculo» desarrolla la puntería y agilidad, y se puede jugar tanto dentro como fuera de casa.

Primero los jugadores se dividen en dos equipos iguales. Uno forma un gran círculo, y los miembros del otro equipo se colocan dentro.

El juego se inicia cuando quienes forman el círculo lanzan la pelota con la intención de golpear a los jugadores rivales, que intentarán esquivarla. Un jugador que recibe el impacto de la pelota se incorpora al círculo y se convierte en lanzador. Sin embargo, el impacto no cuenta si la pelota bota antes de tocar al que la esquiva. Si un mismo lanzamiento toca a más de un jugador, sólo el primero se incorpora al círculo. Si la pelota se detiene en el interior del círculo o la atrapa un rival, se devuelve a los integrantes del círculo.

El juego continúa hasta que sólo queda un jugador dentro del círculo: el ganador. En la siguiente ronda, los que esquivaban forman el círculo, y los lanzadores se sitúan en su interior.

El cazador y los conejos

Este híbrido entre «Esquivar la pelota» y los juegos de persecución también tiene algunos elementos de baloncesto.

Jugadores: 8 o más, y un adulto que supervise

Edad: 6 a 11

Lugar: Fuera de casa, en el pavimento, o en casa, en un garaje muy espacioso y despejado de obstáculos

Equipo: Pelota de espuma

«El cazador y los conejos» es un juego rápido ideal para un gran número de niños. Requiere la velocidad y la resistencia propias de los juegos de persecución y la agilidad y puntería de «Esquivar la pelota», sin olvidar las habilidades del baloncesto. Se debe jugar en una superficie dura en la que la pelota bote bien.

Aunque no se disputa en una pista cerrada, es aconsejable establecer unos límites máximos más allá de los cuales los conejos no puedan seguir corriendo. Primero se elige un cazador; los demás jugadores son los conejos. El cazador tiene la posesión de la pelota.

El objetivo del cazador es hacer diana en el mayor número posible de conejos. No puede correr con la pelota en las manos, sino que debe botarla constantemente cuando esté en movimiento. Si golpea a un conejo por debajo del cuello, se considera capturado, pero no si lo hace en la cabeza. Si la pelota toca en las manos o los brazos de un conejo, no cuenta, y los conejos pueden bloquear un tiro con estas partes del cuerpo. En cualquier caso, el cazador tiene que ir a por la pelota después de cada lanzamiento.

Cuando un conejo es atrapado, se convierte en otro cazador, uniéndose al primero en su intento de dar caza a los conejos restantes. Cuando hay más de un cazador, pueden pasarse la pelota, sin moverse, mientras intentan aproximarse a los conejos. Para moverse deben botarla.

El juego continúa hasta que sólo queda un conejo, que se convierte en el cazador en la ronda siguiente.

Combate

En este juego de «Esquivar la pelota», los jugadores combaten frente a frente para anotar puntos para sus equipos.

Jugadores: 11 o más (a ser posible en número impar), y un adulto que supervise

Edad: 8 a 14

Lugar: Fuera de casa, en la hierba o pavimento

Equipo: Pelota de espuma; piedras, ramas o tiza para marcar los límites

«Combate» es un juego de «Esquivar la pelota» por equipos, aunque en este caso compiten uno a uno. De ahí que, a pesar de la indiscutible acción que implica, no sea un juego especialmente rápido. Desde las líneas laterales, los jugadores que no combaten animan a sus compañeros de equipo, y quienes están en liza saben que el éxito de sus respectivos equipos depende de ellos, toda una lección de espíritu de equipo.

Antes de jugar se marca en el suelo un gran cuadrado con tiza, piedras o ramas dependiendo de la superficie. Para diez jugadores vale una pista de 6 × 6 m, aunque hay que ampliarla para grupos más numerosos. La pelota se coloca en el centro del área de juego. A continuación, todos los jugadores menos uno forman dos equipos iguales. El que queda es el árbitro. (Si hay un número par de contendientes, el adulto que supervise el juego puede hacer de árbitro.) Se asigna un número a cada participante y luego los equipos se alinean a ambos lados del cuadrado, frente a frente.

El juego empieza cuando el árbitro anuncia un número. Los dos jugadores con ese número corren hacia el centro de la pista e intentan alcanzar la pelota. Quien lo consigue se queda de pie en su sitio. Su tarea es ahora acertar al rival, y la de éste, lógicamente, evitarlo. Puede desplazarse por la pista, pero nunca salir de ella.

Si el lanzador hace diana en el que esquiva la pelota o si éste rebasa los límites de la pista, el equipo del lanzador anota 1 punto y cambia el turno. Si el que esquiva consigue atrapar la pelota antes de que toque el suelo, es su equipo el que anota 1 punto y cambia el turno. Y si el lanzador falla el tiro y la pelota sale del cuadrado, nadie anota y cambia el turno igualmente.

No obstante, si la pelota bota dentro de la pista antes de golpear al que esquiva o de ser atrapada por él, o antes de salir de la pista, no se anotan puntos, pero no cambia el turno. El que esquivaba tirará la pelota de vuelta al lanzador, que seguirá jugando.

Al término de cada turno, la pelota se coloca de nuevo en el centro de la pista y el árbitro anuncia otro número. Y así sucesivamente. El árbitro no tiene por qué anun-ciar los números por orden, pero sí asegurarse de que todos han tenido la oportunidad de jugar antes de empezar a repetirlos.

El primer equipo que llega a 21 puntos es el ganador.

Bota la pelota

Este juego tan peliagudo se juega con una pelota de tenis en un área muy estrecha.

Jugadores: 4 o más, y un adulto que supervise

Edad: 8 a 14

Lugar: Fuera de casa, en el pavimento, alejado del tráfico, peatones y ventanas

Equipo: Pelota de tenis; tiza para marcar la pista

En este juego no es fácil eludir una pelota que bota teniendo en cuenta que los jugadores deben permanecer dentro de los límites de la pista. Es un juego muy rápido que divierte mucho a los niños mayores, aburridos de juegos de atrapar la pelota más convencionales. Requiere velocidad, agilidad y la capacidad de atrapar una pelota de tenis en movimiento. El pavimento es la superficie más aconsejable para que bote bien la pelota. No hay que jugar cerca de casas, ventanas, coches aparcados o zonas frecuentadas por peatones, ya que de vez en cuando la pelota es difícil de controlar.

Antes de empezar se dibuja la pista con tiza. Para cuatro jugadores vale una de 10 × 10 m, que deberá ampliarse si participan más jugadores. Todos deben estar siempre dentro de los límites de la pista.

El juego se inicia cuando un jugador lanza la pelota lo más alto posible y todos intentan atraparla. Quien lo consigue intenta inmediatamente acertar a un oponente haciéndola botar. Se puede correr, saltar y tumbarse en el suelo para evitar el impacto, pero sin salir nunca de la pista. Si la pelota golpea a un jugador después de botar, queda eliminado y debe abandonar la pista. Si no golpea a nadie o el jugador la atrapa al botar, todos estarán momentáneamente a salvo. Después

de dos botes o si la pelota sale de los límites de la pista, cualquiera puede recogerla y ponerla de nuevo en juego. Si se lanza la pelota y ésta impacta en otro jugador antes de botar, lanzador y destinatario quedan eliminados.

Antes de que un jugador eliminado abandone la pista, reinicia el juego lanzando de nuevo la pelota al aire. El juego continúa con los participantes intentando evitar el impacto de la pelota hasta que sólo queda uno, el ganador.

El saltamontes

Una tonadilla anima este juego de botar la pelota.

Jugadores: 1 o más

Edad: 4 a 10

Lugar: Fuera de casa, en el pavimento, o en casa, en un garaje muy espacioso y despejado de obstáculos

Equipo: Pelota de espuma

Desde que los niños empezaron a botar una pelota en eras remotas, han acompañado su monótono «tum, tum, tum» con canciones y rimas. Además de añadir interés al juego, estas tonadillas desafían a los que botan a realizar acrobacias. «El saltamontes» es divertido si se juega solo, pero como en todos los juegos de botar y cantar, lo es más si se compite con un compañero.

Hay muchas formas de botar una pelota, especialmente cuando se juega solo, y cuantas más sepa el niño, más se divertirá. Se puede botar simplemente arriba y abajo; dando palmadas, saltando o dando vueltas entre bote y bote; se puede hacer botar contra una pared (sin ventanas) y recogerla con una mano y luego con la otra, pasarla por debajo de la pierna, etc.; se puede hacer botar antes de que rebote en la pared o hacerla botar después; se puede lanzar de espaldas y luego darse la vuelta para atraparla; se puede recoger con una o con dos manos.

En «El saltamontes» el jugador empieza con un bote básico y luego debe realizar siete tipos diferentes de botes sin que se le escape la pelota mientras recita esta tonadilla:

Saltamontes, saltamontes,
sentadito en el sofá.
Uno va,
Dos va,
Tres va,
Cuatro va,
Cinco va,
Seis va,
Siete va.
¡Te has comido el perejil!

El jugador decide cómo realizará cada bote. En una competición, el

primero que completa la secuencia sin cometer errores es el ganador.

Charlie Chaplin

La tonadilla en esta versión es la siguiente:

Charlie Chaplin fue a Francia
a enseñar a bailar a las chicas.
Esto fue lo que enseñó:
¡Dedo, talón y sigue bailando!
¡Dedo, talón y sigue bailando!
¡Dedo, talón y sigue bailando!

La pelota se bota arriba y abajo durante los tres primeros versos. Al decir «dedo», el jugador golpea el suelo con la punta del zapato; al decir «talón», golpea con el talón; y al decir «y sigue bailando», se pasa la pelota por debajo de una pierna.

Oliver Twist

En esta versión, los jugadores se turnan botando la pelota con una mano y realizando acciones particulares o pantomimas. El primero que completa la serie sin cometer errores, gana. Como siempre, los jugadores empiezan con el bote básico antes de pasar a la secuencia.

Oliver-Oliver-Oliver Twist,
Apuesto un dólar a que no haces esto:
Número uno, toca la lengua.
Número dos, toca el zapato.
Número tres, toca la rodilla.
Número cuatro, toca el suelo.
Número cinco, da tres palmadas.
Número seis, da dos saltos.
Número siete, agáchate.
Número ocho, da dos vueltas.
Número nueve, a la pata coja.
Número diez, vuelta a empezar.

Robertito el cartero

Es un emocionante juego de botar y recitar que se puede jugar individualmente o en competición.

Jugadores: 1 o más

Edad: 6 a 10

Lugar: Fuera de casa, en el pavimento cerca de una pared sin ventanas

Equipo: Pelota de tenis o frontón para cada jugador

En «Robertito el cartero», conocido en Estados Unidos como «O'Leary», cada jugador debe hacer botar una pelota en una pared y realizar una serie de movimientos al tiempo que recita una tonadilla. No es fácil de hacer, sobre todo cuando se intenta acelerar para terminar antes que el oponente. Para jugar se necesita una pared sin ventanas y una superficie pavimentada. La tonadilla es muy fácil de aprender:

Uno, dos, tres, Robertito,
cuatro, cinco, seis, Robertito,
siete, ocho, nueve, Robertito,
diez, Robertito el cartero.

Los jugadores se colocan a 1 m de la pared, cada cual con una pelota de tenis o frontón. Los ocho movimientos siguientes se realizan mientras se recita la tonadilla.

1. Lanza la pelota por debajo de la pierna derecha levantada de manera que bote de nuevo en la pared, y luego atrápala en el aire.

2. Lanza la pelota por debajo de la pierna izquierda levantada de manera que bote de nuevo en la pared, y luego atrápala en el aire.

3. Bota la pelota en el suelo y luego contra la pared. Atrápala en el aire por debajo de la pierna derecha levantada.

4. Bota la pelota en el suelo y luego contra la pared. Atrápala en el aire por debajo de la pierna izquierda levantada.

5. Bota la pelota en el suelo y luego contra la pared. Atrápala en el aire en un círculo formado uniendo el pulgar derecho y el índice por las puntas.

6. Bota la pelota en el suelo y luego contra la pared. Atrápala en el aire en un círculo formado uniendo el pulgar izquierdo y el índice por las puntas.

7. Lanza la pelota contra la pared, da una vuelta a la derecha y atrápala en el aire.

8. Lanza la pelota contra la pared, da una vuelta a la izquierda y atrápala en el aire.

Es muy divertido jugar solo a «Robertito el cartero», pero también contra un oponente, ambos realizando los movimientos al mismo tiempo. El primero en terminar sin cometer errores es el ganador. Si hay más de dos jugadores, pueden competir para ver quién es capaz de prolongar más el juego sin errores.

Los cuatro cuadrados

Este juego de botar la pelota, que se juega en una pista
marcada con tiza, es muy habitual en los patios de escuela.

Junto con «El tejo», «La comba» y «Esquivar la pelota», «Los cuatro cuadrados» es uno de los juegos más populares en los patios de las escuelas de preescolar. Algunas incluso disponen de una pista trazada en una zona asfaltada. Es ideal para niños en edad escolar, ya que fomenta la cooperación y el espíritu competitivo al mismo tiempo, y se puede adaptar al nivel de destreza de los participantes. El contacto con la pelota con las manos abiertas es asimismo una práctica excelente para el voleibol, el balonmano e incluso el tenis.

La pista consiste en un cuadrado de 5-6 m de lado dividido en otros cuatro de igual tamaño (véase la ilustración). Los cuadrados se etiquetan como A, B, C y D, en el sentido de las manecillas del reloj partiendo del cuadrado superior izquierdo, y se traza una línea diagonal que divide el cuadrado A (el cuadrado de «servicio») desde la esquina superior derecha a la inferior izquierda.

Juegan cuatro jugadores, uno en cada cuadrado, que intentarán permanecer el mayor tiempo posible en el A. Así pues, el mejor cuadrado para empezar es el A, y el peor el D. Un modo de establecer el orden de juego y determinar quién empezará en el cuadrado A es mediante alguna de las tonadillas descritas en el apartado «Preparativos para jugar» de la página 15, tales como «Un avión», «Pluma, tintero, papel», «Pito pito gorgorito», etc.

El juego se inicia cuando el jugador situado en el cuadrado A sirve la pelota desde detrás de la línea de servicio (la línea diagonal). Bota una vez la pelota en el suelo y la envía a cualquier otro cuadrado golpeándola con la palma de una o de las dos manos (con la palma siempre hacia arriba). La pelota deberá botar una vez en el cuadrado antes de que el segundo jugador la golpee, el cual, a su vez, intentará enviarla al cuadrado de otro jugador igual que antes, es decir, golpeándola con la palma de una o de las dos manos (con la palma siempre hacia arriba). De nuevo deberá botar una vez en el cuadrado antes de que su ocupante la envíe a otro. La pelota se mantiene así en movimiento hasta que un jugador incurre en un «out», que consiste en cualquiera de los casos siguientes: enviar la pelota a una de las líneas que dividen los cuadrados o a la línea que delimita la pista; enviar la pelota fuera de la pista; golpearla con un puño o con la palma hacia abajo; tocarla con cualquier parte del cuerpo diferente de las manos; fallar la devolución después del primer bote de la pelota; o pisar la línea de servicio al servir.

Un «out» cambia la colocación de los jugadores en los cuadrados, aunque dependerá de quién haya incurrido en él. Si hay jugadores a la espera de integrarse al juego, quien ha hecho el «out» debe abandonar la pista y colocarse al final de la línea de espera. En este caso, el infractor o su sustituto siempre es enviado al cuadrado D, el final de la línea, por así decirlo. Si ha cometido el «out» el jugador que servía, pasa al cuadrado D, el D al C, el C al B, y el B al A, que será el nuevo jugador al servicio. Si es el jugador del cuadrado B quien ha cometido el «out», se moverá al cuadrado D, el D al C, y el C al B, pero el jugador al servicio no cambiará. Si es C el infractor, él y D se intercambiarán los cuadrados. Y por último, si D ha hecho el «out», nadie cambiará de lugar.

En «Los cuatro cuadrados» no hay sistema de puntuación, y por lo tanto, ni ganador ni perdedores. Los jugadores simplemente intentan conservar el servicio el mayor tiempo posible (y si hay más de cuatro jugadores, estar el mayor tiempo posible en juego). Si se desea, se pueden contabilizar los errores. En tal caso, ganará el que haya cometido menos.

El escalón

Los jugadores deben atrapar una pelota que bota en un escalón.

Jugadores: 1 o 2

Edad: 8 a 14

Lugar: Fuera de casa, en el pavimento, cerca de una escalera

Equipo: Pelota de tenis o de frontón

«La escalera» se puede disfrutar en dos modalidades: individual o competitiva. Hay que tener buena puntería.

Cada jugador se sitúa a 1,5 m de la escalera (a mayor distancia para los jugadores expertos) y lanza la pelota a los peldaños. El objetivo es atraparla tras haber botado en el suelo al pie de la escalera, lo cual no es nada fácil habida cuenta de los rebotes extraños e imprevistos. Para anotar 1 punto, el jugador debe hacer botar la pelota en el plano de un escalón de manera que rebote en la cara vertical del escalón siguiente y regrese de nuevo hacia su posición, donde intentará atraparla. Otra alternativa consiste en intentar que bote en el borde del peldaño y atraparla directamente en el rebote. Esta complicada maniobra vale 10 puntos. Si el jugador no consigue atrapar la pelota o la hace botar mal, pierde 1 punto.

Cuando juegan solos, los jugadores suelen establecer una puntuación máxima (habitualmente 100 puntos) e intentan alcanzarla en el menor número posible de lanzamientos. Otra forma de jugar solo es con un límite de tiempo, intentando anotar la mayor cantidad posible de puntos. En la modalidad de competición, los participantes juegan por turnos. El turno cambia cada vez que un jugador comete un error. El primero en llegar a una puntuación predeterminada es el ganador.

Cinco-diez

Esta versión de «La escalera» requiere más espacio y sólo se puede jugar individualmente. El jugador se coloca a 3 m del escalón y lanza la pelota. Si la atrapa antes de botar en el suelo, anota 10 puntos y si lo hace después del primer bote, 5 puntos. Si bota más de una vez, el jugador pierde todos los puntos acumulados y empieza desde cero.

Tenis

Esta versión modificada del tenis es ideal para jugar en la calle o en un parque infantil.

Jugadores: 2

Edad: 7 a 14

Lugar: Fuera de casa, en el pavimento, en una zona sin peatones ni ventanas

Equipo: Pelota de tenis; tiza para marcar la pista

«Tenis» es un juego excelente para los aficionados a este deporte que carecen de una pista convencional. Sigue las reglas básicas del tenis, aunque no se necesitan raquetas ni red. Requiere velocidad, agilidad y una perfecta coordinación mano-ojo, tres factores imprescindibles para el tenis real.

Antes de empezar se dibuja la pista, que consiste en un rectángulo de 3,5 m de longitud por 2 m de anchura dividido en dos.

La línea central hace las veces de red, y los jugadores se sitúan frente a frente uno en cada mitad de la pista.

Tras decidir quién sirve primero, se inicia el juego. El jugador al servicio se coloca en cualquier lugar de su pista y sirve botando la pelota en el suelo una vez y golpeándola con la palma de una mano. La pelota debe cruzar la «red» y botar en la pista del oponente antes de que éste intente

devolverla. El juego continúa, golpe tras golpe, hasta que uno falla una devolución (la pelota no cruza la red o sale fuera de los límites de la pista).

Si quien saca falla una devolución, sirve su oponente, pero nadie anota puntos, y si el que falla es el que no ha sacado, quien sirve anota 1 punto y repite servicio. Así pues, un jugador sólo puede anotar puntos cuando está al servicio.

El primero en llegar a 11 puntos es el ganador (gana el «set») siempre que lleve 2 puntos de diferencia sobre su rival. Es decir, que si el marcador está 11-10, el juego continúa hasta que alguien consiga una diferencia de 2 puntos (puede ser 12-10, 13-11, 14-12, etc.).

Frontón

Esta versión callejera del frontón profesional sólo requiere una pared y una pelota de tenis.

Jugadores: 2

Edad: Mayores de 9

Lugar: Fuera de casa, en el pavimento, cerca de una pared sin ventanas

Equipo: Pelota de tenis; tiza para marcar la pista

El frontón es una actividad física extraordinaria que desarrolla la agilidad y la coordinación mano-ojo. Este juego está indicado para niños mayores de 9 años, ya que los más pequeños pueden tener dificultades para mantener el ritmo de juego. «Frontón» se debe practicar en un área pavimentada adyacente a una pared (¡sin ventanas, por favor! De lo contrario, el estropicio puede ser monumental).

Una pista de frontón estándar mide 6 m de anchura por 10 m de profundidad. La línea de servicio está a 5 m de la pared y discurre a lo ancho de la pista. En cualquier caso, los jugadores pueden modificar estas dimensiones para adaptarlas al espacio disponible. La pista se marca con tiza antes de empezar.

En la modalidad individual compiten dos jugadores, que se colocan a media pista, mirando a la pared. Quien sirve primero se sitúa detrás de la línea de servicio, hace botar la pelota en el suelo y luego la golpea contra la pared con la palma de la mano. La pelota debe rebotar y superar la línea de servicio para estar en juego. Dispone de dos pelotas de servicio. Si falla las dos, sirve su oponente. El juego continúa con los jugadores alternándose para golpear la pelota contra la pared. Después del servicio, se puede golpear la pelota cuando ha botado o sin que lo haya hecho. Sin embargo, una vez golpeada debe llegar directamente a la pared, sin botar antes en el suelo.

Si un jugador falla, dejando que la pelota bote dos veces antes de devolverla o golpee en la pared tras haber botado en el suelo, pierde la volea, al igual que si envía la pelota fuera de la pista, ya sea antes o después de tocar la pared. Cuando un jugador pierde una volea teniendo el servicio en su poder, el servicio pasa a su oponente, y si la pierde cuando es el oponente quien está al servicio, éste anota 1 punto y sigue sirviendo. (Dicho de otro modo, sólo se pueden anotar puntos cuando se tiene el servicio.)

Un jugador no puede interferir, intencionada o inintencionadamente, en la acción de su oponente cuando está intentando golpear la pelota. En tal caso, se comete «falta». Si la ha cometido quien está al servicio, lo pierde, y si lo comete el otro jugador, se repite el servicio.

El primero en anotar 21 puntos es el ganador.

Dobles

Esta modalidad se juega con dos equipos de dos jugadores. Cuando la pelota está en juego, los equipos, al igual que en la modalidad individual, se turnan para golpearla, aunque los compañeros de equipo no tienen por qué alternarse; el jugador más próximo a la pelota puede devolverla. Sin embargo, cuando un equipo está al servicio, el compañero que no sirve debe salir de la pista, y sólo puede regresar cuando la pelota está en juego. El compañero que sirve continúa haciéndolo hasta que su equipo pierde el servicio, y cuando lo recupera, será su compañero quien servirá.

Frontón-tenis

Este juego de tenis sin raquetas requiere mano firme.

Jugadores: 8 o más (número par)

Edades: 9 a 14

Lugar: Fuera de casa, en el pavimento, en un área alejada del tráfico, sin peatones ni ventanas

Equipo: Pelota de frontón o de tenis; tiza para marcar la pista

«Frontón-tenis» se juega en una pista de «fabricación casera» con una pelota de frontón o de tenis (de ahí su nombre), y requiere velocidad, buena coordinación mano-ojo y trabajo de equipo. Los niños mayores, capaces ya de ceñirse a un juego de reglas relativamente estructurado, disfrutarán con este rapidísimo juego.

Primero se marca con tiza una pista de 15 × 7 m con una línea central. Los jugadores forman dos equipos iguales, ocupando cada uno una mitad de la pista, se numeran para establecer el orden de servicio y se reparten, incluido quien sirve, en su mitad de pista.

El primer jugador al servicio pone la pelota en juego botándola una vez en el suelo y golpeándola con la palma de una mano hasta la pista del equipo contrario. Dispone de dos oportunidades de saque. Si falla las dos, el servicio pasa al otro equipo. Una vez en juego la pelota, el equipo receptor intenta devolverla, dejándola botar en su pista tantas veces como deseen antes de golpearla, pero una vez golpeada, debe cruzar la línea central y botar directamente en la otra pista, sin botar en la propia. El juego continúa, golpe tras golpe, de uno a otro lado de la pista.

Si los jugadores de un equipo fallan una devolución y la pelota no consigue cruzar la línea divisoria, pierden la «volea», y también si la pelota sale de los límites de su pista tras haber botado una vez, rueda y se detiene en la pista, o la envían fuera de ésta. Si pierden una volea cuando están al servicio, éste pasa al equipo contrario. No obstante, si es el equipo rival el que estaba al servicio, ese equipo anota 1 punto y continúa sirviendo. (Es decir, que sólo se pueden anotar puntos cuando se está al servicio.)

Cuando un equipo recupera el servicio tras haberlo perdido, sirve el siguiente jugador con arreglo al orden numérico establecido antes de empezar, el cual seguirá sirviendo hasta que su equipo pierda el servicio de nuevo.

El primer equipo en anotar 21 puntos gana.

Béisbol-pie

Este popular juego de campo consiste en una combinación de béisbol y fútbol.

Jugadores: 6 o más (número par), y un adulto que supervise

Edades: 6 a 12

Lugar: Fuera de casa, en un campo de béisbol o un gran espacio abierto de hierba alejado del tráfico, peatones y ventanas

Equipo: Pelota de espuma; 4 bases de béisbol (se pueden comprar en las tiendas de artículos deportivos), camisetas u otros objetos similares a modo de bases; rama o similar para marcar el montículo del *pitcher*

«Béisbol-pie», que se juega con las reglas del béisbol, está indicado para niños de edades muy diferentes. Dado que la pelota es grande y lenta, y que además se chuta en lugar de batearla, es mucho más fácil de controlar. Un partido bien organizado de «Béisbol-pie» puede entretener y divertir a un grupo de niños toda una tarde. Las habilidades que desarrolla este juego son ideales para el futuro futbolista o el experto en béisbol. Las reglas que se describen aquí no pueden abarcar todos y cada uno de los entresijos del juego, pero para empezar son más que suficientes.

Antes de jugar, hay que trazar el campo. Los cuatro lados del «diamante» (así es como se denomina el campo de béisbol) deberían medir unos 6-9 m de longitud, con la base «home» en una esquina, y luego, en el sentido contrario a las manecillas del reloj, la primera, segunda y tercera bases. En el extremo opuesto a la «home», más allá del diamante, debería de haber mucho espacio para correr. En el centro del campo hay que trazar una línea con una rama u otro objeto para indicar la posición del «montículo del *pitcher*», que debe situarse detrás de ella cuando lanza hacia la «home».

Los participantes forman dos equipos iguales. Un equipo empieza en el campo, con uno de sus jugadores como *pitcher*. Otro jugador se colocará cerca de la primera base, y los demás dispersos alrededor de las bases, dentro y fuera del diamante. Si hay suficientes jugadores para cubrir el campo, un equipo puede enviar a uno de sus miembros para que se sitúe detrás de la «home» a modo de *catcher* (receptor).

El equipo contrario está «al bate». Primero se numerarán para determinar el orden de bateo, o el propio capitán se encargará de hacerlo. El juego empieza cuando un jugador del equipo de bateo se monta en la «home» y el *pitcher* hace rodar la pelota hacia él. Puede hacerlo fuerte o flojo, botando o a ras del suelo. En cualquier caso debe apuntar a la «home». La tarea del jugador al bate es chutarla lo más lejos posible hacia el campo.

Si falla el chut, se considera un «strike», y si falla tres veces en su turno de bateo, queda eliminado y debe dar paso al siguiente jugador en el orden de bateo. (No obstante, la secuencia de tres *strikes* y eliminación es poco frecuente en «Béisbol-pie».) Si chuta la pelota y ésta sale de los límites derecho o izquierdo del diamante, se considera «falta». Cuatro faltas equivalen a la eliminación.

El bateador no tiene por qué chutar todas las pelotas que le envía el *pitcher*; puede esperar a la que le parezca más adecuada para conseguir un buen chut. Sin embargo, si deja pasar una pelota y ésta toca la «home», cuenta

como *strike*, y si no toca la «home», cuenta como «bola». Cuatro bolas permiten al bateador avanzar, caminando, hasta la primera base.

Si el jugador chuta la pelota y la envía dentro del diamante, o fuera, pero entre la primera base y la tercera, se considera «bola libre», y correrá hacia la primera base. Si una «bola al aire» (chutada al aire) es atrapada antes de que toque el suelo, quien ha chutado queda eliminado y debe colocarse de nuevo cerca de la «home» con los demás miembros de su equipo. Pero si la pelota toca el suelo sin que nadie la haya atrapado, los jugadores de campo intentarán eliminar al «chutador» lanzando la pelota al jugador de la primera base antes de que aquél pueda llegar hasta ella, persiguiéndolo con la pelota o lanzándola contra el «chutador» y acertando. Si la ha chutado realmente bien, puede completar todo el diamante (*home run*), y si no, se quedará en la base a la que ha conseguido llegar y correrá cuando el siguiente jugador al bate chute la pelota. Una «carrera» se anota cuando un jugador recorre todas las bases y alcanza la «home».

Los jugadores continúan bateando hasta que su equipo acumula tres eliminaciones. Entonces, los equipos intercambian sus posiciones, y el equipo bateador accede al campo. Cuando cada equipo ha tenido su turno bateando y jugando en el campo, se completa una «entrada». Habitualmente, un partido se juega a cinco entradas, y el equipo con más carreras al término del partido es el ganador.

Home run

En esta versión de «Béisbol-pie», el único modo de anotar es con un *home run*. Si un jugador no consigue recorrer todas las bases y regresar a la «home» sin ser atrapado, queda eliminado. Esto puede parecer muy complicado para los que chutan, pero hay un factor que también complica las cosas para los jugadores de campo. En efecto, cuando uno de ellos persigue una pelota chutada, debe lanzarla al primer bateador, aun en el caso de que ya haya superado la primera base. Luego, debe dirigirse hacia el segundo bateador, aunque también haya superado la segunda base. Lo mismo vale para la tercera base y la «home». El corredor sólo queda eliminado si el equipo consigue hacerlo y coloca la pelota en una base antes de que el corredor llegue hasta ella. En esta versión no hay persecución ni lanzamiento de la pelota contra el «chutador».

Elección del bateador

Esta versión de «Béisbol-pie» es muy similar a la anterior («Home run»), exceptuando que en lugar de chutar la pelota, el bateador la lanza a la parte del campo que elija. En «Elección del bateador» no hay *pitcher*.

Voleibol

En esta versión simplificada del voleibol los jugadores lanzan y atrapan la pelota.

Jugadores: 8 o más (número par)

Edades: 7 a 12

Lugar: Fuera de casa, en el pavimento, hierba o arena

Equipo: Pelota de voleibol; red de voleibol o tenis (o cuerda normal, o cuerda para tender la ropa); piedras, ramas o tiza para marcar la pista

En este juego, la pista, la pelota y la posición de los jugadores son idénticas a las del voleibol estándar, aunque la acción es muy diferente, pues en lugar de golpear la pelota para pasarla de un lado a otro de la red, un jugador de un equipo la lanza y otro del equipo contrario la atrapa. Dado que la pelota no tiene que botar, se puede jugar en la hierba o incluso en la arena, y también claro está en pavimento.

Primero los jugadores forman dos equipos iguales y marcan la pista con piedras, ramas o tiza. Debe medir desde 6 × 12 m hasta 9 × 18 m, dependiendo del número de participantes y de las edades. En el centro de la pista, de lado a lado, se coloca una red. Se puede usar una estándar de voleibol de 2 m de altura. También se puede utilizar una red de tenis, una

cuerda normal y corriente o una cuerda para tender la ropa atada entre dos árboles.

Los equipos se sitúan en lados opuestos de la red, en dos o tres líneas dependiendo del número de jugadores. El partido empieza cuando un jugador, de pie en cualquier área de la mitad de la pista que ocupa su equipo, «sirve» lanzando la pelota por encima de la red. El otro equipo intenta atraparla sin que bote en el suelo. Si lo consiguen, la lanzarán de nuevo hacia la pista del equipo contrario. No importa que los lanzamientos sean altos o bajos, fuertes o flojos con tal de que superen la red y la pelota caiga en la otra mitad de la pista.

Los equipos continúan lanzando y atrapando la pelota de un lado a otro de la pista, con la esperanza de que un lanzamiento se estrelle o no supere la red, que salga fuera de los límites de la pista o que no consigan atraparla. Los jugadores de un mismo equipo no se pueden pasar la pelota; quien la atrapa debe lanzarla.

Si el equipo que sirve comete cualquiera de los errores mencionados, el servicio pasa al equipo contrario, y si quien falla es el equipo que no está en posesión del saque, el que sirve anota 1 punto. (En otras palabras, sólo puede anotar puntos el equipo que sirve.)

Cada vez que se recupera el servicio, lanzará la pelota un nuevo miembro del equipo, hasta que todos hayan tenido la oportunidad de ponerla en juego. El primer equipo que anota 21 puntos gana el partido, en el bien entendido de que sólo se puede ganar con una diferencia de 2 puntos. Así pues, si el marcador es 21-20, el juego continuará hasta que un equipo consiga una diferencia de 2 puntos.

Béisbol-pie indio

El antiguo juego indio del «Béisbol-pie» se parece mucho más a las carreras callejeras y al fútbol que al «Béisbol-pie» tradicional.

Jugadores: 6 a 12 (número par)

Edades: 8 a 14

Lugar: Fuera de casa, en un gran espacio abierto o un sendero

Equipo: Pelota de tenis de diferente color para cada equipo; ramas o piedras para marcar el recorrido

El «Béisbol-pie indio» está considerado un juego espiritual por los indios de México y del sudoeste de Estados Unidos. La versión que describimos aquí requiere resistencia y habilidad con los pies, aunque lógicamente el recorrido se ha reducido a 1,5 km (o menos si los jugadores son pequeños).

El «Béisbol-pie indio» es una carrera por equipos que compiten para ser los primeros en llegar a la meta. Sus integrantes colaboran para mover la pelota, sólo con los pies, a lo largo del recorrido. Primero se forman dos equipos de tres a seis jugadores. Cada equipo debe tener una pelota de tenis de un color diferente. Luego se marca el recorrido de la carrera con ramas o piedras, de 90 m a 1,5 km dependiendo de la resistencia de los participantes y del tiempo disponible. Las pendientes, curvas y el terreno accidentado hacen más interesante la carrera. En cualquier caso, el terreno debe ser lo bastante ancho como para que quepan tres o cuatro jugadores en línea.

Los equipos se agrupan en torno a la pelota a varios metros de distancia de la línea de salida. A la señal de «¡Preparados, listos, ya!», un jugador de cada equipo chuta la pelota y los demás lo siguen. Trabajando juntos, los compañeros de equipo continúan chutando la pelota a lo largo del recorrido lo más deprisa posible. Es aconsejable conseguir un buen equilibrio en los chuts. Si son muy largos, la pelota avanzará rápidamente, pero también será más probable que se desvíe. Asimismo, cuanto más recta circule la pelota, menos tiempo invertirá en desplazarse de un punto a otro.

El primer equipo cuya pelota cruce la línea de meta es el ganador.

Chutar y atrapar

Este juego de chut a gol es una buena práctica para los futuros jugadores de rugby o fútbol americano.

Jugadores: 10 o más (número par)

Edades: 8 a 12

Lugar: Fuera de casa, en un gran espacio con hierba o área pavimentada alejada del tráfico, peatones y ventanas

Equipo: Pelota de espuma, de fútbol o de rugby (o fútbol americano); piedras, ramas o tiza para marcar las líneas de gol

Jugando a «Chutar y atrapar» los niños perfeccionan su técnica de chut y su habilidad para correr y atrapar. Se puede jugar con una pelota de fútbol, de rugby o de fútbol americano dependiendo de la habilidad de los jugadores y de su edad (de espuma para los más pequeños).

Antes de empezar, se marcan en el suelo dos líneas de gol a unos 9-15 m de distancia una de otra, y los jugadores forman dos equipos iguales. Cada equipo se coloca a lo largo de una de las líneas de gol.

El juego se inicia cuando un jugador del primer equipo chuta la pelota desde detrás de su línea de gol y en dirección a la del equipo contrario. En este juego, el chut es especial. En lugar de colocar la pelota en el suelo, el que chuta la lanza al aire, a la altura de los hombros o de la cabeza, y la chuta en el aire con el empeine. Su objetivo es pasarla por encima de los jugadores del equipo rival para que bote más allá de su línea de gol. Si lo logra, su

equipo anota 1 punto. De lo contrario es el otro equipo el que anota 1 punto. Asimismo, los oponentes también anotan 1 punto si uno de sus jugadores es capaz de atrapar la pelota en el aire, antes o después de haber cruzado la línea de gol.

Después de cada anotación, los equipos se turnan en el chut desde su línea de gol hasta que todos han tenido la oportunidad de chutar.

El equipo que consigue una mayor puntuación gana el partido.

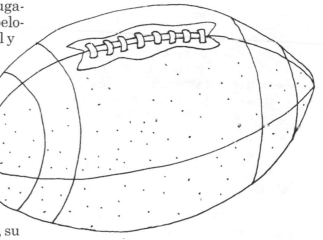

Errores

«Errores» es un juego de uno contra uno con el que los jugadores perfeccionan su técnica de béisbol.

Jugadores: 2

Edades: 5 a 8

Lugar: Fuera de casa, en el pavimento

Equipo: Pelota de espuma

Aunque se juega con una pelota de espuma, la acción en «Errores» es similar a la del béisbol. En este juego cada jugador intenta anotar puntos obligando a

su oponente a cometer un error, una práctica excelente para los pequeñines que están interesados en aprender las reglas del béisbol pero que aún no están preparados para el bate y el guante. Se debería jugar en pavimento, donde la pelota pueda rodar deprisa y con suavidad.

Para jugar, los rivales se colocan a una distancia de 6-9 m y se turnan en rodar la pelota de uno a otro con una mano. Se trata de imprimir la mayor velocidad posible al juego, recogiendo y devolviendo la pelota rá-

pidamente. Si el receptor (en béisbol, «fildeador») falla la recepción o no consigue devolverla haciéndola rodar a ras del suelo (va botando), cuenta como un «error», en cuyo caso el oponente anota 1 punto.

Los jugadores se alternan continuamente lanzando y recogiendo la pelota, intentando, quien lanza, forzar el error de su contrincante, lo cual se consigue rodando la pelota con fuerza y velocidad, o imprimiéndole un efecto de curvatura que dificulte la recepción.

El primero en llegar a 21 puntos gana.

El gato viejo

«El gato viejo» es un juego de dos bases que constituye una excelente práctica para el béisbol.

Jugadores: 8 a 12 (hasta 20 si se juega por equipos)

Edades: 7 a 11

Lugar: Fuera de casa, en un campo de béisbol o de hierba alejado del tráfico, peatones y ventanas

Equipo: Pelota de espuma y bate; bases de béisbol (se venden en las tiendas de artículos deportivos), camisetas u objetos similares para indicar la posición de las bases; piedra o rama para situar el «montículo del *pitcher*»

«El gato viejo» es un juego similar al béisbol que se puede jugar en un espacio limitado, pues sólo hay dos bases. Asimismo, la acción en el campo exige un menor esfuerzo. Sin embargo, los jugadores deben ser capaces de golpear una pelota con el bate, una técnica que sin duda alguna mejorará con la práctica de este juego. La anotación en «El gato viejo» suele ser individual, aunque también se puede jugar por equipos, desde 12 a 20 jugadores divididos en equipos iguales.

Primero se marcan dos bases («home» y primera base) separadas unos 9-12 m. La primera base no está directamente enfrente de la «home», sino a la derecha, en diagonal, en la posición en la que estaría en un diamante de béisbol estándar. Con una rama o piedra se señala el «montículo del *pitcher*» (lanzador) a 6 m de la «home». Se elige un jugador como *pitcher*, que se coloca en el montículo; otro, el *catcher*, que se sitúa detrás de la «home»; y por último un tercer ju-

gador, el bateador. Los demás se distribuyen por el campo.

El juego empieza cuando el bateador accede a la «home». El *pitcher* lanza la pelota y el bateador intenta golpearla. Si falla, la envía a un lado o hacia atrás, cuenta como un «strike». A los tres *strikes* queda eliminado, aunque el tercero sólo se considera como tal si no consigue golpear la pelota; si la manda desviada, vale. Luego el bateador se incorpora al campo y el *catcher* se convierte en bateador, el *pitcher* en el *catcher* y

uno de los jugadores de campo en el *pitcher*.

No obstante, si el bateador golpea la pelota, intentará correr hasta la primera base y regresar a la «home». Entretanto, los jugadores de campo se apresurarán a recoger la pelota. Si uno de ellos la atrapa en el aire, el bateador queda eliminado, y también si la recoge del suelo y la lanza al *catcher* (que debe tocar la «home» aunque sólo sea con un pie) antes de que el bateador consiga alcanzar la «home». Pero si lo logra, anota una «carrera» y batea de nuevo.

El juego continúa hasta que todos los jugadores han tenido la oportunidad de batear. Quien haya anotado más «carreras» al finalizar el partido es el ganador.

Corre-bases

Los jugadores corren entre las bases sin ser atrapados ni incurrir en un «pickle».

Jugadores: 3

Edades: 7 a 14

Lugar: Fuera de casa, en la hierba

Equipo: Pelota de espuma o de béisbol y guantes para 2 jugadores; bases de béisbol (se venden en las tiendas de artículos deportivos), camisetas u objetos similares para indicar la posición de las bases

«Corre-bases» recrea un «pickle», un lance clásico en béisbol en el que un corredor queda entre dos bases con los jugadores de campo a ambos lados intentando atraparlo.

Primero se colocan dos bases separadas unos 9 m si se usa una pelota de espuma o 15 m si se utiliza una de béisbol. Dos jugadores (jugadores de campo) se colocan en las bases y el tercero es el corredor, que al principio del partido está en una de las bases.

Los dos jugadores de campo ponen la pelota en juego lanzándosela siempre por encima del nivel de la cabeza. En este juego, el objetivo del corredor es ir de una base a la otra y anotar un «hit». Si un jugador de campo en posesión de la pelota lo atrapa fuera de una base, queda eliminado y debe intercambiar su puesto con el jugador que lo ha atrapado. El corredor puede elegir entre esperar hasta que uno de los jugadores de campo falle un lanzamiento y se le caiga la pelota o la envíe demasiado lejos, o simplemente decidir lanzarse a la carrera y arriesgarse.

En ocasiones, la presión de tener que atrapar al corredor hace que los jugadores de campo fallen la recepción, aunque también es muy frecuente que el corredor se vea sorprendido en un *pickle*, con los dos jugadores aproximándose a él por los flancos. Los jugadores de campo continúan lanzándose la pelota. Si son buenos, al final conseguirán atrapar al corredor.

Si pierden el control de la pelota o si el corredor es especialmente rápido, puede competir con uno de los dos jugadores para ocupar su base, aunque sin salir del «basepath» (la línea que une las dos bases). Si a los jugadores de campo se les cae la pelota, el corredor puede seguir corriendo y anotando *hit* tras *hit* hasta que consigan recuperarla. Pero, si no ha logrado llegar a la base de partida, no anota.

El corredor anota una «carrera» cada cuatro *hits*. Al terminar su turno, suma todas las carreras que ha anotado. Sin embargo, los *hits* extra quedan invalidados, y por lo tanto no se cuentan en su próximo turno como corredor. El jugador que ha conseguido más carreras después de un tiempo predeterminado es el ganador.

Pelota-bate

En este juego de bases los jugadores compiten para anotar «carreras» bateando la pelota con las manos.

Jugadores: 8 a 20 (número par)

Edades: 7 a 11

Lugar: Fuera de casa, en la hierba o área pavimentada alejada del tráfico, peatones y ventanas

Equipo: Pelota de espuma; camisetas u objetos similares para marcar las bases; piedras, ramas o tiza para marcar las líneas

«Pelota-bate» tiene sus orígenes en el béisbol, aunque en este caso no se usan bates, sino que los jugadores golpean la pelota con los puños o la palma de las manos, y luego intentan correr a través de las bases antes de ser atrapados y quedar eliminados. Este juego requiere velocidad y coordinación mano-ojo, además de puntería.

Primero se marcan dos bases separadas unos 9-12 m: una, la «home», y la otra, llamada «base larga», que está en el campo. Se pueden utilizar camisetas, árboles o cualquier otro objeto para señalar la posición de las bases. Los jugadores forman dos equipos iguales. Uno empieza defendiendo, distribuyéndose por el campo detrás de la base larga, y el otro atacando y alineado detrás de la «home» para turnarse al «bate».

El juego se inicia cuando el primer bateador se coloca en la «home», lanza la pelota al aire y la envía hacia el campo golpeándola con el puño o la palma de la mano. (El bateador dispone de un solo intento.) Puede intentar enviarla a cualquier lugar, siempre frente a la «home», golpeándola alto en el aire, hacia el suelo o como prefiera. Luego echa a correr intentando cubrir la base larga y regresar.

Entretanto, los jugadores de campo se apresuran a recoger la pelota.

Si uno de ellos consigue atraparla en el aire, el bateador queda eliminado y se coloca al final de la línea de bateo. Si un jugador de campo recoge la pelota del suelo, debe perseguir al bateador, sin perderla, e intentar atraparlo antes de que recorra la base larga y regrese. También puede lanzar la pelota a un compañero de equipo más próximo al bateador para que sea éste quien lo persiga. La acción de atrapar consiste en tocar al bateador con la pelota por de-

bajo de la cintura; lanzársela no está permitido. Si el equipo de campo atrapa al bateador, queda eliminado, pero si consigue llegar a la «home», su equipo anota 1 punto.

El primer equipo continúa bateando hasta que ha acumulado tres eliminaciones. Llegados a este punto, los equipos intercambian sus posiciones. El equipo con una mayor puntuación después de cuatro «entradas» es el ganador.

Béisbol a tres bandas

En esta versión modificada del béisbol, los jugadores usan el puño para batear.

Jugadores: 6 o más (número par)

Edades: 8 a 14

Lugar: Fuera de casa, en el pavimento, alejado del tráfico, peatones y ventanas

Equipo: Pelota de frontón o de tenis; bases de béisbol (se venden en las tiendas de artículos deportivos), camisetas u objetos similares para marcar las bases

Es una versión del béisbol adaptada a la calle. Dado que la pelota debe botar, se debe jugar en un área pavimentada.

Antes de jugar se traza en el suelo un campo triangular con la «home» en un vértice y dos bases en los otros dos, separadas no más de 8 m, aunque la distancia puede oscilar entre 8 y 12 m. El «outfield», el área que está más allá de las bases y opuesta a la «home», debería ser muy espa-

ciosa para que los niños puedan correr.

Los jugadores forman dos equipos iguales. Uno se distribuye por el campo, y uno de sus miembros se coloca cerca de la primera base. El otro equipo está «al bate», y sus miembros se numeran para determi-

nar el orden de bateo, o bien eligen un capitán para que se encargue de ello. El juego se inicia cuando un jugador del equipo bateador se coloca en la «home», lanza la pelota y luego intenta golpearla con el puño. (También se puede jugar con un *pitcher* del equipo de campo, que lanza la pelota al bateador de manera que llegue hasta él tras haber botado una vez.)

Como en el béisbol tradicional, si el bateador falla o envía la pelota desviada a un lado o hacia atrás, cuenta como *strike*. A los tres *strikes* queda eliminado, aunque el tercero sólo se considera como tal si no consigue golpear la pelota. En este caso, es el turno del siguiente jugador al bate.

Sin embargo, si golpea satisfactoriamente la pelota, el bateador corre hacia la primera base. Si un jugador del equipo contrario la atrapa en el aire, el bateador queda eliminado. De lo contrario, los jugadores de campo se apresurarán a recuperar la pelota y eliminar al bateador: lanzándola a su compañero en la primera base (debe tener por lo menos un pie en la base) antes de que el bateador llegue a ella o atrapándolo con la pelota también antes de que alcance la primera base. «Atrapar» significa tocarlo con

la pelota por debajo de la cintura; lanzarle la pelota no está permitido.

Según la distancia a la que el bateador haya enviado la pelota, puede seguir corriendo de la primera base hasta la tercera, deteniéndose allí si cree que no conseguirá alcanzar la «home» antes de que lo atrapen. Y si el golpe ha sido largo, puede intentar completar el campo y llegar a la «home», anotando en este caso un «home run». Si no, permanecerá en la base a la que haya llegado y correrá de nuevo cuando el siguiente jugador

golpee la pelota. Cada vez que un jugador llega a la «home», su equipo anota una «carrera».

Cuando los jugadores han acumulado tres eliminaciones, los equipos intercambian sus posiciones, y el equipo bateador ocupa el campo. Cuando los dos equipos han bateado, se completa una «entrada». Los partidos se suelen disputar a cinco entradas. El equipo que ha anotado más carreras al finalizar el juego gana, y en caso de empate, se disputan entradas adicionales.

Stickball

Esta versión simplificada del béisbol tiene sus orígenes en las calles urbanas, pero se puede jugar en casi cualquier superficie pavimentada.

Jugadores: 6 o más (número par)

Edades: 7 a 14

Lugar: Fuera de casa, en un área pavimentada alejada del tráfico, peatones y ventanas

Equipo: Pelota de tenis o frontón; bate de béisbol o mango de escoba recortado a modo de «stick»; camisetas u objetos similares para marcar las bases (opcional)

Aunque el béisbol es uno de los pasatiempos favoritos en Estados Unidos, «Stickball» ha sido un clásico entre los niños de ciudad durante generaciones. El «Stickball», al que se suele jugar en los solares de barrio y parques infantiles, así como en cualquier otro tipo de superficie pavimentada, es a menudo la primera introducción al béisbol para los niños. Aunque las reglas son menos estrictas y el campo, y habitualmente también los equipos, son más reducidos que en el béisbol, el espíritu del juego y la técnica ne-

cesaria para jugar son muy similares. Aun así, las reglas que se describen aquí no cubren todos los entresijos del juego, que al igual que el béisbol tiene muchas reglas y muy elaboradas. No obstante, para empezar deberían ser suficientes.

Antes de empezar a jugar se marca un diamante de stickball, cuyos lados deberían estar separados entre 15 m y 23 m, y las esquinas marcadas como «home», primera, segunda y tercera base. En el stickball urbano, los jugadores suelen improvisar el trazado del campo: una tapa de alcantarilla como «home», una boca de incendios como primera base, un poste de teléfono como segunda y un árbol como tercera. En cualquier caso, es aconsejable disponer de una pared sin ventanas detrás de la «home» para que las pelotas muy fuertes no se vayan demasiado lejos, y también mucho espacio más allá del diamante, frente a la «home» para que los niños puedan correr.

Los jugadores forman dos equipos iguales. Un equipo empieza en el

campo, y uno de sus miembros es el *pitcher*, que se coloca en el centro del diamante, mientras que otro se sitúa cerca de la primera base. Los demás se distribuyen cerca de las demás bases. Si hay un número suficiente de jugadores se puede asignar un segundo jugador a la segunda base, otro a la tercera y otro al «shortstop» (entre la segunda y la tercera), y también un *catcher* (detrás de la «home»), mientras los jugadores restantes se distribuyen en el «outfield», es decir, el área opuesta a la «home».

El otro equipo está «al bate», y sus integrantes se numeran para determinar el orden de bateo o bien nombran un capitán para que se encargue de hacerlo.

Para empezar, el primer jugador del equipo de bateo se coloca en la «home», mientras el *pitcher* del equipo de campo lanza la pelota de manera que bote una vez en el suelo y llegue a la «home». (Los jugadores pueden acordar prescindir del *pitcher* y que sea el bateador el que golpee directamente la pelota lanzándola al aire.) Si el equipo de campo no tiene *catcher*, un miembro del equipo de bateo puede encargarse de ello, devolviendo al *pitcher* las pelotas falladas.

Si un bateador falla la pelota, cuenta como un *strike*. A los tres *strikes* queda eliminado y es el turno del siguiente jugador en el orden de bateo. Si el bateador golpea la pelota enviándola hacia atrás, fuera del

diamante a la derecha de la primera base o a la izquierda de la tercera, se considera «falta». Una falta equivale a un *strike* a menos que el bateador ya tenga dos. El bateador no tiene por qué intentar golpear cada lanzamiento; puede esperar al que considere más adecuado para conseguir un buen golpe.

Si el bateador golpea una pelota, en el aire o en el suelo, enviándola al campo (dentro de las líneas del diamante) o al «outfield» (fuera del diamante pero entre la primera base a la derecha y la tercera a la izquierda), se declara «bola libre». De inmediato soltará el bate y correrá hacia la primera base. Si un jugador del equipo de campo atrapa una bola alta en el aire, el bateador queda eliminado. De lo contrario, los jugadores de campo se apresuran a recuperar la pelota e intentan eliminar al bateador tocando la primera base antes de que llegue a ella o lanzándola a un compañero de equipo para que lo haga.

También pueden atrapar directamente al bateador y eliminarlo, pero siempre tocándolo con la pelota; lanzársela no está permitido.

Dependiendo de la distancia a la que ha sido enviada la pelota o de la velocidad del otro equipo para recuperarla, el bateador puede seguir corriendo de base en base, deteniéndose cuando crea que no logrará alcanzar la siguiente antes de ser atrapado. (Una vez superada la primera base, la única forma de eliminar a un bateador es atrapándolo antes de que llegue a la siguiente.) Cuando el bateador se ha detenido en una base, permanece allí e intentará seguir avanzando cuando el siguiente bateador golpee la pelota. Completar todas las bases hasta la «home» supone anotar una «carrera».

Si sólo hay tres jugadores por equipo y todos están en las bases, se dice que en la tercera hay un «corredor fantasma» («ghost runner»), y el

jugador que debería estar allí se dirige a la «home» para batear. Si el golpe es satisfactorio y los corredores avanzan, el corredor fantasma anota una «carrera».

El «Stickball» sólo tiene una regla muy diferente del béisbol: si una pelota se envía muy pero que muy lejos del campo, no es un «home run», sino que el bateador queda eliminado y debe ir a por la pelota. En esta versión del juego, se considera inadecuado enviar una pelota demasiado lejos.

Cuando el equipo bateador acumula tres eliminaciones, los equipos intercambiar sus posiciones. Cuando los dos han tenido la oportunidad de batear y actuar como equipo de campo, se completa una «entrada». El equipo que ha realizado más carreras después de un número predeterminado de entradas (9, por ejemplo) es el ganador, y en caso de empate, se juegan entradas extra hasta desempatar.

Bola rápida

Este juego es como el béisbol por la vía rápida: las entradas para sumar puntos se realizan en muy poco tiempo.

Jugadores: 10 a 20 (número par), y un adulto o niño mayor (árbitro)

Edades: 8 a 14

Lugar: Fuera de casa en un campo de béisbol (diamante) o área grande de hierba alejada del tráfico, peatones y ventanas

Equipo: Pelota de espuma o de tenis; bate; guante para cada jugador (opcional); bases de béisbol (se venden en las tiendas de artículos deportivos), camisetas u objetos similares para marcar las bases; piedras o ramas para señalar la posición del «montículo del *pitcher*»

«Bola rápida», cuyas reglas son un poquito menos estrictas que las del béisbol, se puede jugar en un campo de béisbol convencional con 9 o 10 jugadores por equipo, o también en el patio de tu casa, marcando las bases con camisetas y con el número de jugadores adecuado para el espacio disponible.

Un adulto o niño mayor puede hacer de árbitro, o en el caso de que el número de jugadores sea impar, alguien puede ofrecerse voluntario, acordando intercambiar su rol con el de otro jugador después de unas cuantas «entradas».

Si no se dispone de un diamante regular de béisbol, hay que crear un campo de «Bola rápida». Los lados del diamante deberían medir unos 6-9 m de longitud, marcando los vértices como «home», primera, segunda y tercera bases. Más allá del campo, enfrente de la «home», debe haber mucho espacio libre para que los niños puedan correr. En el centro del campo se traza una línea en el suelo con una piedra o rama; será el «montículo del *pitcher*». El *pitcher* se situará detrás de esta línea al lanzar la pelota hacia el bateador en la «home».

Los jugadores forman dos equipos iguales. Un equipo empieza en el campo, y uno de sus integrantes es el *pitcher*, otro cerca de la primera base, y los demás repartidos alrededor de las bases o fuera del campo. Si hay suficientes jugadores, se puede designar uno en la primera base, otro en la segunda, otro más en la tercera base, uno en el «shortstop» (entre la segunda y la tercera) y un *catcher* (detrás de la «home»), con los demás jugadores en el «outfield», es decir, el área más allá de las bases y opuesta a la «home». El árbitro, si lo hay, se coloca detrás del *catcher*.

El equipo contrario está «al bate». Sus miembros deben numerarse para determinar el orden de bateo, o bien nombrar un capitán para que se encargue de hacerlo.

El juego empieza cuando el primer bateador se coloca en la «home» y el *pitcher* lanza la pelota. Si el bateador falla el golpe, se considera un *strike*. Si comete tres *strikes* antes de una pelota libre, queda eliminado y es el turno del siguiente bateador. Si la golpea pero la envía hacia atrás o fuera del diamante a la derecha de la primera base o a la izquierda de la tercera, se considera una «falta», que cuenta como un *strike* si el bateador ya tiene dos.

El bateador no tiene por qué intentar golpear cada lanzamiento; puede esperar al que considere más adecuado para conseguir un buen golpe. No obstante, si deja pasar una pelota que podía devolver, cuenta como *strike*, y si deja pasar una de devolución imposible, cuenta como «bola». Cuatro «bolas» permiten automáticamente al bateador ocupar la primera base (no hace falta que vaya corriendo, puede hacerlo caminando). Corresponde al árbitro, o al *catcher* a falta de árbitro, declarar las «bolas» y los *strikes*.

Si el bateador golpea la pelota, ya sea en el aire o en el suelo, y la envía al «infield» (dentro de las líneas del diamante) o al «outfield» (fuera del diamante pero entre la primera base a la derecha y la tercera a la izquierda), es «bola libre». Ahora correrá hacia la primera base. Si el equipo contrario atrapa una «bola alta» antes de aterrizar, el bateador queda eliminado. De lo contrario, los jugadores de campo se apresuran a recuperarla e intentan eliminarlo lanzándola al jugador de la primera base (que debe tener por lo menos un pie en ella) antes de que el bateador llegue a la base o atrapando directamente al bateador (tocándolo con la pelota, no lanzándosela).

Dependiendo de la distancia a la que ha sido enviada la pelota o de la velocidad del otro equipo para recuperarla, el bateador puede seguir corriendo de base en base, deteniéndose cuando crea que no logrará alcanzar la siguiente antes de ser atrapado. Y si el golpe ha sido realmente largo, puede intentar completar el campo y llegar a la «home», anotando en este caso un «home run». En caso contrario, permanecerá en la base a la que haya llegado y correrá de nuevo cuando el siguiente bateador golpee la pelota.

Cuando un jugador consigue completar las tres bases y regresar a la «home», anota una «carrera». Al igual que en béisbol, en «Bola rápida» los equipos se alternan cada tres eliminaciones. Cuando cada equipo ha bateado y ha jugado en el campo, concluye una «entrada». Sin embargo, en este juego sólo cuatro jugadores de cada equipo pueden batear en cada «entrada», de manera que aunque no se hayan acumulado tres eliminaciones, una «entrada» se completa cuando ha bateado el cuarto jugador. El equipo que ha anotado más «carreras» después de cinco «entradas» es el ganador.

Rounders

Este juego de béisbol en espacios reducidos es una versión simplificada de un clásico juego inglés.

Jugadores: 8 o más (número par)

Edades: 8 a 12

Lugar: Fuera de casa en el pavimento, lejos del tráfico, peatones y ventanas

Equipo: Pelota de tenis; tiza para marcar las bases y los límites del campo

«Rounders» tiene sus orígenes en Inglaterra, aunque en ocasiones se conoce como «Rounders danés». La versión adulta, por así decirlo, que se juega con un bate, es parecida al béisbol. No obstante, en esta versión simplificada, la pelota se golpea con la mano. «Rounders» es un juego ideal para un parque infantil, ya que se necesita un campo (diamante) bastante pequeño. Se suele jugar en áreas pavimentadas, donde se pueden marcar las líneas de base. Este juego requiere velocidad, destreza y una buena técnica de lanzamiento, recepción e impacto de la pelota. Las reglas que se describen aquí no cubren todos los aspectos de este juego, que comparte con el béisbol muchos de sus complejos entresijos, aunque para empezar son más que suficientes.

Primero se dibuja con tiza un diamante de 5-6 m de lado. Las bases se marcan en las esquinas: «home», primera, segunda y tercera base, y un gran círculo central hace las veces del «montículo del *pitcher*».

Los jugadores forman dos equipos iguales. Uno empieza en el campo, designando un *pitcher*, que se coloca en el montículo, y un *catcher*, detrás de la «home». Los demás jugadores de campo se dispersan por el terreno frente a la «home». En este juego no hay jugadores de base, sino que todos se sitúan fuera del diamante.

El equipo contrario está «al bate», y sus miembros deberían numerarse para determinar el orden de bateo, o bien nombrar un capitán para que se encargue de hacerlo.

El primer jugador del equipo al bate se coloca detrás de la «home» para empezar el partido. El *pitcher* lanza la pelota hacia la «home» siempre por encima del nivel de la cabeza, y el bateador debe golpearla con la mano y luego correr hacia la primera base. El bateador no tiene por qué golpear todas las pelotas que le lanza el *pitcher*, sino que puede esperar a la que crea más adecuada para realizar un bateo eficaz. En cualquier caso, sólo le está permitido hacer un bateo, y aunque lo falle o el impacto sea deficiente, debe correr hacia la base.

Si el bateador envía una «bola alta» y el equipo contrario la atrapa antes de aterrizar, queda eliminado y debe reunirse con su equipo cerca de la «home». En caso contrario, los jugadores de campo se apresuran a recuperarla y a lanzarla rápidamente al *pitcher*. Aunque el bateador falle la pelota, el *catcher* debe atraparla y lanzársela al *pitcher*. Una vez en su poder, tocará el suelo con la pelota en su montículo y gritará: «¡Down!». Si el bateador no está en la base al gritar «¡Down!», queda eliminado.

Dependiendo de la distancia a la que ha sido enviada la pelota o de la velocidad del otro equipo para recuperarla, el bateador puede seguir corriendo de base en base, y si el golpe ha sido realmente bueno, puede incluso intentar completar el recorrido hasta la «home». Pero si no está en una base cuando el *pitcher* toca el suelo con la pelota, queda eliminado. Cuando el jugador se ha detenido en una base y el *pitcher* ha hecho el «down», debe permanecer allí hasta que juegue el siguiente

bateador. Entonces puede seguir avanzando.

Cuando los jugadores corren las tres bases y regresan a la «home» se anota una «carrera». A diferencia del béisbol, en un momento determinado puede haber cualquier número de jugadores en una base. Los jugadores no tienen la obligación de avanzar cuando otro bateador golpea la pelota, sino que pueden hacerlo cuando lo decidan, teniendo siempre en cuenta que no podrán anotar si no llegan a la «home».

El orden de bateo no es el mismo durante todo el partido, sino que cambia a tenor del orden en el que los jugadores van regresando a la «home» o quedan eliminados. Tan pronto como un jugador anota una «carrera» o queda eliminado, se coloca al final de la línea de bateo. Si sólo hay un jugador y no está en una base, continúa bateando hasta que otro regrese a la «home».

A las tres eliminaciones del equipo de bateo, los equipos intercambian sus posiciones. Cuando cada equipo ha tenido su turno de bateo y de campo, ha finalizado una «entrada». El equipo que ha anotado más carreras después de un número predeterminado de entradas es el ganador.

La vuelta al mundo

Los jugadores intentan encestar desde siete posiciones de tiro alrededor de la canasta.

Jugadores: 2 o más

Edades: 8 a 14

Lugar: En la calle o en el parque, en un área pavimentada, si hay una canasta de baloncesto, o en una canasta de una cancha de baloncesto.

Equipo: Pelota de baloncesto; tiza, cinta adhesiva o piedras para señalar las posiciones de tiro

«La vuelta al mundo» es un juego de baloncesto que ofrece tanto a los jugadores principiantes como a los expertos una excelente práctica en el lanzamiento de tiros libres. Dado que los lanzamientos se hacen por turnos, no hay ataque, defensa ni contacto. El objetivo es ser el primero en encestar desde todas las posiciones de tiro del recorrido. Basta con un aro de baloncesto, una pelota y algo para marcar las posiciones de tiro para poder jugar.

Primero se señalan siete posiciones con tiza, cinta adhesiva o piedras formando un semicírculo alrededor de la canasta, que pueden estar más cerca para los jugadores jóvenes y más lejos para los jugadores mayores.

Para empezar, el primer jugador se sitúa en la primera posición e intenta encestar. Después de cada lanzamiento se desplaza hasta la siguiente posición y tira de nuevo. Cuando falla un lanzamiento, la pelota pasa al segundo jugador, que empieza desde la primera posición. Cada jugador tiene un turno e intenta llegar lo más lejos posible en su viaje «alrededor del mundo» antes de fallar. En la segunda ronda, los participantes empiezan en la posición en la que fallaron en la anterior ronda.

El primer jugador que completa el recorrido desde la primera a la séptima posición y de nuevo hasta la primera es el ganador.

Dribbling

Este juego de baloncesto pone a prueba las habilidades en el manejo de la pelota y el dribbling del contrario.

Jugadores: 2

Edades: 8 a 14

Lugar: Cancha de baloncesto, calle u otra área pavimentada; tiza o cinta adhesiva para marcar los límites del terreno de juego (opcional)

Equipo: Pelota de baloncesto

Mientras que la mayoría de los juegos de baloncesto requieren una buena técnica de lanzamiento, «Dribbling» se centra en los movimientos del jugador con la pelota, la intercepción y la defensa.

Nada mejor que disponer de una cancha de baloncesto, pero a falta de ella se puede jugar en un área pavimentada normal y corriente, trazando con tiza o cinta adhesiva una línea de tiros libres de 1 m de longitud y un pequeño círculo de 60 cm de diámetro separados unos 5 m. El círculo representa la posición en la vertical de la canasta en una cancha real.

Los jugadores deciden quién tendrá la posesión de la primera pelota. Empezando desde la línea de tiros libres, el jugador botará la pelota de un lado a otro y con una sola mano, intentando llegar a la canasta. (En este juego no hay lanzamientos.) Esta secuencia de manejo del balón nada tendría de particular si el contrario no intentara arrebatárselo. El «driblador» puede avanzar en línea recta o botando de acá para allá, aproximándose al objetivo.

Si el «driblador» consigue alcanzar la canasta sin que le haya sido arrebatado el balón y sin cometer errores, como por ejemplo tocar la pelota con las dos manos o sostenerla un instante, anota 1 punto. Pero si falla o pierde el control del balón, el defensor anota 1 punto. Cuando se anota un punto, los jugadores intercambian sus roles.

Gana el jugador con la mayor puntuación después de un período de tiempo predeterminado o el primero que alcanza un cierto número de puntos.

Veintiuno

Este juego de baloncesto requiere maestría en los tiros libres y los «ganchos».

Jugadores: 2

Edades: 8 a 14

Lugar: En la calle u otra área con una canasta de baloncesto, o en una canasta de una cancha de baloncesto

Equipo: Pelota de baloncesto; tiza o cinta adhesiva para marcar la línea de tiros libres

El «Veintiuno» es muy probablemente la competición de lanzamiento a canasta más popular. Da a los jugadores la oportunidad de perfeccionar sus técnicas de lanzamiento de faltas y de «ganchos» (un estilo de lanzamiento a canasta muy característico en baloncesto) al tiempo que los envuelve en una acción trepidante. El riesgo de superar los 21 puntos y tener que empezar de nuevo añade emoción al juego.

Una canasta de baloncesto convencional está suspendida a 3 m del suelo, aunque la altura se puede modificar para los jugadores más pequeños en el caso de que el aro sea ajustable en el poste. Se marca una línea de tiros libres con tiza o cinta adhesiva a 5 m delante de la canasta. Un jugador se coloca debajo de ella y el otro realiza lanzamientos desde la línea. Si el lanzador encesta, anota 2 puntos y continúa tirando hasta fallar.

Cuando falla un tiro, el jugador situado debajo de la canasta se apresura a recuperar el balón, inicia una secuencia de dribbling, botándolo siempre con una mano, y efectúa un gancho intentando que la pelota rebote en el tablero y se cuele en el aro. Si encesta, anota 1 punto y es su turno desde la línea de tiros libres. No obstante, si falla, el primer jugador recupera de nuevo el balón.

El primero en llegar a 21 puntos gana. Sin embargo, si la anotación total de un jugador supera los 21 puntos, los pierde y debe empezar desde cero. Esto significa que un jugador con 20 puntos no querrá anotar un tiro libre, y si está en la línea, deberá fallarlo intencionadamente, esperando conseguir el punto que le falta recuperando una pelota después del fallo de su contrincante. Ni que decir tiene que siempre es arriesgado dar la oportunidad de anotar puntos al rival. Un jugador astuto podría empezar a calcular desde el principio e intentar distribuir sus movimientos para llegar, al final, a la línea de tiros libres con 19 puntos.

Bombardeo

Esta competición de lanzamientos a canasta desarrolla las habilidades encestadoras.

Jugadores: 2 o más

Edades: 8 a 14

Lugar: En la calle u otra área con una canasta de baloncesto, o en una canasta de una cancha de baloncesto

Equipo: Pelota de baloncesto; cronómetro o reloj con segundero; tiza o cinta adhesiva para marcar la pista; lápiz y papel para anotar el resultado (opcional)

«Bombardeo» es una combinación de diversas competiciones de baloncesto que ayuda a los jugadores a perfeccionar sus técnicas. Los jugadores deben dividirse por edades o habilidades técnicas para competir con otros de su mismo nivel. «Bombardeo» se puede jugar en una calle o parque que disponga de un aro de baloncesto suspendido a 3 m del suelo, o también en una canasta de una pista convencional.

Las siguientes competiciones se pueden jugar de una en una o como un juego completo:

Botar y lanzar: Los participantes se turnan realizando la mayor cantidad posible de lanzamientos en 1 minuto. Los tiros se pueden hacer desde cualquier lugar de la cancha, y la pelota debe botar una vez entre tiro y tiro (incluyendo los encestes). Se anota 1 punto por cada enceste.

Lanzamiento de velocidad: Se marca un semicírculo, con tiza o cinta adhesiva, de 1 m de radio enfrente de la canasta. Todos los lanzamientos se deben efectuar desde detrás de la marca. Cada jugador, por turnos, intenta realizar el mayor número de lanzamientos posible en 1 minuto, recuperando rápidamente la pelota después de cada intento, tanto si ha encestado como si no. Cada enceste vale 1 punto.

Tiros libres: Se marca, con tiza o cinta adhesiva, una línea de tiros libres a 5 m de la canasta (o más cerca para los niños pequeños o si el espacio es limitado). Cada contendiente lanza 20 tiros libres desde la línea, mientras otro jugador se sitúa debajo del aro, recuperando balones y devolviéndoselos al lanzador. Cada canasta vale 1 punto.

Ganchos: Esta competición pone a prueba las técnicas de dribbling y gancho desde tres posiciones diferentes en la cancha. Primero los jugadores deben driblar la pelota, botándola continuamente con una mano, hasta llegar a canasta. Una vez allí, deben efectuar un gancho, de manera que el balón rebote en el tablero y se cuele en el aro. Las posiciones de partida se pueden señalizar con tiza o pedacitos de cinta adhesiva, el primero a 6 m frente a la canasta. Si el jugador falla el gancho después del dribbling, queda eliminado, pero si lo encesta, pasa a la siguiente posición, situada a 6 m de la canasta en el lado izquierdo. Si transforma el gancho se desplazará, siempre botando la pelota, hasta la tercera y última posición, a 6 m de la canasta en el lado derecho. Si falla, empieza de nuevo, continuando hasta que falle. Entonces, es el turno del rival. Cada enceste vale 1 punto.

Lanzamientos a distancia: En esta competición de lanzamientos de media y larga distancia, cada jugador dispone de tres tiros desde cinco posiciones en la pista, que se pueden señalizar con tiza o cinta adhesiva. La primera posición es la línea de tiros libres, y cada enceste vale 2 puntos. La segunda, desde donde los encestes vale 3 puntos, está 1 m más por detrás de la línea de tiros libres. La por tercera se halla a 3,5 m a la izquierda de la segunda, y la cuarta posición está situada a 3,5 m a la derecha. Desde ambas posiciones, los encestes valen 4 puntos. La quinta posición de tiro está a 3 m más atrás de la línea de tiros libres, o sea, a 2 m más atrás de la segunda posición. Desde allí, los encestes valen 5 puntos. Un resultado perfecto sería el de 54 puntos.

Si «Bombardeo» se juega en la modalidad de torneo, el jugador con la máxima anotación una vez completados todos los eventos es el ganador.

El caballo

En este juego de baloncesto, nadie quiere ser el C-A-B-A-L-L-O.

Jugadores: 2 o más

Edades: 9 a 14

Lugar: En la calle u otra área con una canasta de baloncesto, o en una canasta de una cancha de baloncesto

Equipo: Pelota de baloncesto

«El caballo» es uno de los duelos de lanzamientos a canasta más populares en las calles urbanas y los parques infantiles, e incluso pueden jugarlo varios niños al mismo tiempo. Este juego es muchísimo más divertido si los contrincantes están equilibrados en habilidades de lanzamiento. El juego va ganando emoción a medida que se van asignando las letras de la palabra «C-A-B-A-L-L-O» a los jugadores que fallan un tiro.

Antes de empezar, los jugadores establecen un orden de juego. El primero intenta encestar desde cualquier parte de la cancha. Puede usar cualquier estilo de tiro: con las palmas de las manos hacia arriba, hacia abajo, con una mano, con dos o un gancho. Si encesta, el siguiente jugador de la fila debe intentar el mismo tipo de lanzamiento y desde la misma posición.

Si el segundo jugador o cualquiera de los siguientes falla el tiro, se le asigna la letra «C». Si un jugador encesta, no se le asigna letra alguna. Cuando todos han tirado una vez, el primer jugador recupera el balón y realiza otro lanzamiento diferente del primero, y si lo transforma, los demás deben intentar imitarlo.

Si el primer jugador falla, el segundo realiza un lanzamiento con el estilo que prefiera. Si lo transforma, los demás deben intentar hacer exactamente lo mismo que él, y si lo falla, el siguiente jugador de la fila efectúa un lanzamiento.

El juego continúa con los jugadores intentando imitar los tiros de los demás. Cada fallo se penaliza con las letras C-A-B-A-L-L-O. El juego puede proseguir hasta que todos los participantes menos uno hayan quedado eliminados, o finalizar cuando uno de ellos se haya convertido en un «caballo». (Se puede acortar el juego usando otras palabras, tales como «G-A-T-O» o «P-E-R-R-O».)

Un aro

Un balón y un aro bastan para disfrutar de esta versión simplificada del baloncesto.

Jugadores: 2 o más (número par)

Edades: 9 en adelante

Lugar: En la calle u otra área con una canasta de baloncesto y tablero, o en una canasta de una cancha de baloncesto

Equipo: Pelota de baloncesto; tiza o cinta adhesiva para marcar la línea de tiros libres (opcional)

EN las calles y parques infantiles de Estados Unidos y otros muchos países, el «tum, tum, tum» del baloncesto a un solo aro empieza a presidir el ambiente en primavera (y en ocasiones durante todo el año, incluso cuando el frío arrecia). El baloncesto es un juego de acción por equipos que requiere destreza, agilidad y resistencia. Es un deporte que cuando se empieza a practicar, seduce desde el primer momento. Crea adicción por así decirlo. El baloncesto a un aro es extraordinario, no se necesita una pista completa ni diez jugadores, y en esta versión en particular, el número de reglas es más reducido y también son más simples que en el baloncesto real. Se puede jugar en un área de apenas 6 m² y desde 2 a 10 jugadores. Los niños desarrollan la habilidad de manejar un balón de baloncesto alrededor de los 9 o 10 años, pero incluso los más pequeños pueden divertirse practicando.

Las canastas de baloncesto convencional están suspendidas a 3 m del suelo, aunque la altura se puede modificar para los niños más pequeños si la canasta es ajustable en el poste. Si se juega en una cancha normal, la zona situada debajo de la canasta y a cada lado puede delimitar la pista. El área situada detrás de la línea de tiros libres es el «campo atrás». Si se juega en una calle hay que marcar con tiza o cinta adhesiva una línea de tiros libres a 4,5 m de la canasta. El bordillo puede actuar a modo de banda.

Los jugadores forman dos equipos iguales. El partido empieza con un equipo en posesión de la pelota en el campo atrás. El objetivo del juego es anotar puntos encestando canastas al tiempo que se intenta evitar que el equipo contrario haga lo mismo. Los jugadores pueden lanzar desde cualquier parte de la cancha, y cuando encestan anotan 2 puntos.

Durante una jugada, los miembros de cada equipo se pueden pasar la pelota unos a otros hasta seleccionar la mejor posición de lanzamiento posible e intentar encestar. En movimiento, el jugador debe botar siempre la pelota (con una mano). Entretanto, el equipo rival trata de robar el balón o interceptar un pase. Si sale por la banda, el equipo que no la tocó en último lugar recupera la posesión allí donde salió.

Cuando se anota una canasta, el equipo contrario tiene la posesión del balón de nuevo en la zona de campo atrás. Sin embargo, cuando se falla un tiro, los dos equipos se afanan por recuperar la pelota tras haber botado en el aro o el tablero. Si la recupera el equipo que no lanzó, se retira hasta el campo atrás, botando o pasando el balón, antes de poder lanzar de nuevo. Pero si el equipo atacante se hace con el rebote, puede lanzar de nuevo sin necesidad de regresar al campo atrás.

Al tratar de robar la pelota o dificultar un lanzamiento, los jugadores no pueden empujar a quien la está jugando. En tal caso, se comete una «falta personal». En el baloncesto a un aro hay muchas formas de tratar las faltas, aunque el enfoque es simple y equitativo: cuando un jugador con el balón recibe una falta, el juego se detiene y puede efectuar dos lanzamientos desde la línea de tiros libres. Cada enceste vale 1 punto. Pero tanto si encesta como si no, su equipo retiene la posesión de la pelota, empezando en la zona de campo atrás. Cuando un atacante recibe un empujón exagerado y cae al suelo, su equipo recupera la posesión del balón en el campo atrás.

También hay varias infracciones que obligan a un equipo a ceder la posesión del balón al equipo contrario: moverse con la pelota sin botarla («falta de pie»); botar, detenerse con la pelota en las manos y luego moverse antes de volver a botar («dobles»); botar con las dos manos al mismo tiempo (también «dobles»); pisar la línea de tiros libres al efectuar un lanzamiento desde esta posición; no pasar o lanzar transcurridos 5 segundos (regla opcional); tocar la pelota con los pies o los puños; y saltar para hacer un lanzamiento pero sin soltar el balón. Sin árbitro, los jugadores deben solucionar por sí mismos sus disputas.

El equipo con mayor anotación al término de un período de tiempo predeterminado es el ganador. También se puede acordar jugar hasta una puntuación máxima, habitualmente 21 puntos, en cuyo caso, el primer equipo que la alcanza gana el partido.

Contra uno

En este juego, en el que pueden intervenir cuatro o más contendientes, un jugador defiende contra todos los demás. Los atacantes intentan lanzar y encestar mientras el defensor procura interceptar el balón y evitar que encesten. Cuando un jugador encesta, anota 2 puntos. Pero si falla el tiro, se convierte en el nuevo defensor. Si el defensor intercepta la pelota, el último atacante que la tocó se convierte en defensor. En este juego, cada jugador compite individualmente. El primero que anota 10 puntos gana.

Disco-golf

Esta adaptación del mini-golf pone a prueba la destreza de los jugadores en el lanzamiento de un disco volador.

> **Jugadores:** 2 o más
>
> **Edades:** 8 a 14
>
> **Lugar:** Al aire libre en parques o en patios amplios con muchos posibles objetivos
>
> **Equipo:** 1 o 2 *Frisbees*, y papel y lápiz para anotar la puntuación

En «Disco-golf», los jugadores compiten para lanzar sus *Frisbees* a lo largo de un recorrido preestablecido. El mejor lugar para jugar es un parque o un patio de grandes dimensiones.

Primero se traza el «recorrido de golf». La mayoría de los juegos de «Disco-golf» constan de 9 «hoyos», aunque se puede ampliar a 18 si el tiempo y el espacio lo permiten. Cada «hoyo» es un objetivo hacia el que hay que dirigir el *Frisbee*. Los árboles, vallas, los columpios de un parque infantil y surtidores son buenos objetivos, pero no los automóviles aparcados, los parterres y los transeúntes. El recorrido se puede diseñar de antemano o cada jugador puede improvisarlo sobre la marcha. En cualquier caso, los hoyos deberían estar situados a 15-30 m de distancia. Un recorrido de disco-golf realmente magnífico incluye algunos «obstáculos», desde una charca hasta una hilera de arbustos que el disco debe superar a través de un hueco situado en una valla. Además de decidir la posición de cada hoyo, los participantes deben especificar cómo habrá que jugarlo, es decir, si el disco debe hacer diana en él, pasar a través, por encima, etc. También hay que elegir el emplazamiento del «tee» de salida.

El primer jugador lanza el *Frisbee* en el primer hoyo desde el *tee*. Si no alcanza el objetivo en su primer intento, continúa jugando desde el lugar en el que ha quedado el disco. Una vez «embocado», anota el número de «golpes» que ha invertido en completar el hoyo. Los demás participantes juegan, por turnos, el primer hoyo y anotan el resultado. Luego pasan al segundo.

El juego continúa siguiendo la secuencia de hoyos, y cuando todos han completado el recorrido, se totalizan los resultados. Al igual que en el golf real, el jugador con la anotación más baja gana el partido.

Triple

«Triple» es un juego que combina elementos del fútbol, el fútbol americano y el hockey.

> **Jugadores:** 6 o más (número par)
>
> **Edades:** 8 a 14
>
> **Lugar:** Fuera de casa, en un gran campo de hierba alejado del tráfico, peatones y ventanas
>
> **Equipo:** Frisbee; piedras o ramas para delimitar el área de juego

En «Triple», al igual que en el fútbol, el fútbol americano y el hockey, el objetivo es desplazar la «pelota» por el campo y conseguir que cruce la línea de gol del equipo contrario. En este caso, la pelota es un *Frisbee* que los jugadores se pasan de uno a otro. Dado que el disco vuela alto y lejos, el juego es muy rápido. Los niños deben tener una cierta destreza en el lanzamiento y recepción de un *Frisbee*, pues de lo contrario los partidos pierden emoción.

Antes de empezar, se delimita el área de juego con piedras o ramas, formando un rectángulo de 54 m de longitud por 27 m de anchura (las dimensiones del campo se pueden adaptar al espacio disponible y la habilidad de los participantes). Los lados cortos del campo son las líneas de gol y los largos las bandas. Los jugadores forman dos equipos iguales y se alinean a lo largo de su línea de gol. Un equipo lanza el disco hacia el otro equipo (receptor), cuyos integrantes intentan atraparlo. Si no lo consiguen y cae al suelo, no pueden tocarlo hasta que se ha detenido. Ahora los miembros del equipo receptor empiezan a pasarse el disco e intentan lanzarlo a alguno de sus compañeros situados cerca de la línea de gol del equipo rival.

Ni que decir tiene que los oponentes se afanarán por detener el avance y recuperar la posesión del *Frisbee*. Para interceptar un pase no se puede recurrir al contacto físico.

La única forma permitida de avance es mover el disco de un jugador a otro. Se puede lanzar hacia adelante, hacia atrás o lateralmente, alto o bajo. Un jugador no puede correr mientras tiene el disco en su poder, pero sí pivotar sobre un pie mientras busca a un compañero de equipo al que pasárselo. Entretanto, los demás miembros del equipo pueden correr por el campo intentando conseguir una buena posición de recepción.

Si el equipo atacante deja que el disco caiga al suelo o si uno de sus integrantes da un paso mientras lo tiene en su poder, el equipo contrario recupera inmediatamente la posesión, iniciando el ataque desde el lugar en el que se produjo el error. Si el *Frisbee* sale fuera de banda, el equipo rival toma la posesión, lanzándolo de nuevo al campo desde el sitio en que salió.

Un gol se marca cuando un jugador lanza el disco sobre la línea de gol del equipo contrario y uno de sus compañeros, situado detrás de esa línea, lo atrapa en el aire. Cada gol vale 1 punto. Después de un gol, los equipos se alinean de nuevo en sus respectivas líneas de gol, el equipo que ha anotado pone en juego el disco y el juego se reanuda. El equipo que ha marcado más goles transcurrido un período de tiempo predeterminado, o el primer equipo que alcanza un marcador previamente acordado (habitualmente 11 puntos), es el ganador.

Fútbol

La velocidad, resistencia y habilidad con los pies son fundamentales para el triunfo en este rapidísimo juego de fútbol.

Jugadores: 4 a 22 (número par)

Edades: 7 a 14

Lugar: Al aire libre, en un gran campo de hierba o área pavimentada alejada del tráfico, peatones y ventanas

Equipo: Pelota de fútbol o de espuma; piedras, ramas o tiza para delimitar el área de juego; 4 ramas de 1,5 m de longitud, mangos de escoba, cubos de basura u objetos similares para los postes de las porterías; reloj (opcional)

El «Fútbol» es sin lugar a dudas el deporte más popular en todo el mundo (se juega en alrededor de ciento cincuenta países). En el Reino Unido y otros muchos lugares, se denomina «football», que no hay que confundir con el fútbol americano, mucho más parecido al rugby europeo y australiano. Los jugadores de fútbol están en constante movimiento, pasándose el balón con los pies o la cabeza con el objetivo de introducirlo en la portería del equipo contrario. A diferencia de la mayoría de los juegos de pelota, éste no requiere habilidades de lanzamiento o recepción. En realidad, está prohibido, con la única excepción del portero, tocar la pelota con las manos o los brazos durante el partido. En este caso, los jugadores tienen que perfeccionar su juego de pies, piernas y caderas, aunque en los movimientos también intervienen el abdomen y el pecho. Los jugadores mayores y más experimentados incluso pueden aprender a «rematar» de cabeza.

El reglamento básico del fútbol es fácil de aprender, aunque las reglas que se describen aquí no cubren todos los entresijos del juego. En cualquier caso, para empezar son más que suficientes.

Antes de jugar, se delimita con tiza, piedras o ramas un campo rectangular de 63-72 m de anchura por 90-99 de longitud, dependiendo del tipo de superficie. (Estas medidas se pueden reducir a tenor del espacio disponible.) En el centro de cada banda corta se coloca una portería de 4,5 m de anchura de poste a poste. Dos ramas largas o dos mangos de escoba clavados en el suelo son ideales para ello.

Los jugadores forman dos equipos iguales, a ser posible equilibrados en edad y habilidad. A continuación se decide quién sacará de centro. Si hay más de dos jugadores por equipo, cada equipo designa a uno como portero, encargado de defender su línea de gol.

Para empezar el partido, cada equipo distribuye a sus jugadores en su mitad de campo y cerca de su portería. La pelota se coloca en el centro del campo para el «saque inicial». Los miembros del equipo contrario deben situarse a más de 10 m del centro. Ahora el jugador que pone en juego el balón lo pasa a un compañero de equipo, en cuyo momento el equipo rival puede empezar a «marcar» a quien lleva la pelota con la intención de arrebatársela. Quien ha realizado el saque inicial no puede tocar de nuevo el balón hasta que lo ha hecho un compañero de equipo o un oponente.

Los dos equipos se afanan por tener la posesión de la pelota. Cuando un jugador tiene el balón, intenta avanzar hacia la línea de gol del equipo contrario, driblando a los rivales, con pequeños chuts mientras sigue corriendo, o bien pasándolo a un compañero, adelante o atrás, como mejor prefiera, siempre con el objetivo de ganar metros hacia la portería contraria.

En cualquier momento, un atacante puede intentar chutar el balón hacia la portería, pero para marcar un gol, tiene que cruzar la línea entre los dos palos, ya sea a ras del suelo o a la altura máxima de los brazos extendidos hacia arriba del guardameta. Por su parte, el portero, defendiendo el arco, puede atrapar el balón con las manos o usar cualquier otra parte de su cuerpo para bloquear el disparo. Si lo detiene, puede recoger la pelota, avanzar no más de 1 m y chutarla fuera del área hacia cualquiera de sus compañeros de equipo. Pero si el atacante marca gol, el juego se reanuda en el centro del campo y el saque corresponde al equipo que lo ha encajado.

Una razón por la que el fútbol es tan emocionante reside en que el equipo rival siempre intenta robar el balón. Para interceptar el dribbling de un jugador, el oponente puede colocarse delante, bloqueando su línea de avance y dispuesto a hacerse con el control de la pelota cuando aquél intente chutarla o pasarla a un compañero de equipo. También puede presionar desde los flancos, introduciendo el pie para dificultar la ca-

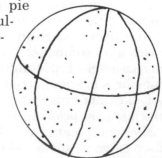

rrera al contrario y desviar el balón. En cualquier caso, en este lance del juego, están prohibidas las zancadillas y pisotones. Si un jugador infringe esta regla, el equipo rival dispone de un «golpe franco» desde el lugar en el que se cometió la «falta». También es falta tocar la pelota con la mano (menos el guardameta).

No obstante, hay una situación en la que un jugador puede usar las manos. Si un equipo envía el balón fuera de banda, otro del equipo contrario la recoge y la pone en juego pasando la pelota por encima de su cabeza desde el lugar donde salió. Si el equipo atacante la envía fuera del campo por el lado corto, exceptuando la línea de gol, el portero la pone en juego chutando desde 6 m por delante de la línea de gol. Pero si el equipo defensor la envía accidentalmente fuera por su propia línea, el atacante tiene la oportunidad de efectuar un chut desde una de las esquinas del campo.

El fútbol se puede jugar con dos tiempos de juego de 15-20 minutos, en cuyo caso los jugadores pueden darse un respiro en el intermedio. Algunas veces los equipos acuerdan intercambiar el resultado a medio partido para reequilibrarlo y poder disputar una segunda parte más emocionante. También se puede acordar un número de goles para dar por finalizado el encuentro. El primer equipo que lo consigue, gana.

Rondo

En esta excelente práctica de entrenamiento para el fútbol, los jugadores no pueden usar las manos.

Jugadores: 10 o más (número par), y un adulto que supervise

Edades: 6 a 10

Lugar: Fuera de casa, en un gran espacio abierto, o dentro, en un garaje por ejemplo

Equipo: Pelota de espuma

El objetivo de este juego es evitar que el jugador del centro intercepte la pelota. Los jugadores deben pasarla, detenerla o interceptarla sin usar las manos ni los brazos. Este juego es una forma muy divertida de desarrollar la técnica de chutar y de controlar el balón.

Un jugador se coloca en medio de un círculo o cuadrado formado por los demás. (Si sólo hay tres, el jugador central se sitúa entre los otros dos.) Los jugadores exteriores no pueden invadir el espacio central en el transcurso del juego. Debe de haber un mínimo de 3-5 m entre cada jugador exterior.

Uno de los jugadores exteriores pone la pelota en juego chutándola en el aire hacia otro jugador exterior y procurando mantenerla lo más alejada posible del jugador central, al tiempo que éste corre para interceptar el pase, lo cual puede hacer con cualquier parte del cuerpo menos las manos y los brazos. Si lo consigue y recupera la posesión del balón, intercambia su lugar con el último jugador que la chutó, que anota 1 punto de penalización.

Para que el juego sea más difícil, se puede acordar que, después de chutar, la pelota sólo pueda botar una vez antes de que la controle el receptor. Si éste falla, anota 1 punto de penalización, pero en este caso no hay intercambio de posiciones; el receptor simplemente recupera la pelota (¡con las manos no!) y la envía a otro jugador.

El juego continúa hasta que los jugadores deciden dejar de jugar. Quien ha acumulado menos puntos es el ganador.

Dribbling

Esta versión es para tres jugadores, y a ser posible se debe jugar en un rectángulo alargado (15-18 m de longitud por 3,5-4,5 m de anchura). Un jugador está en el centro mientras los otros dos intentan maniobrar la pelota a su alrededor, pasándosela a ras de suelo o driblándolo con breves toques de balón. Los toques de más de 30 cm están prohibidos. Si el jugador que está en medio se hace con la posesión del balón, sustituye a quien la perdió. Este juego es ideal para perfeccionar la técnica del dribbling y de recuperación de la pelota. No se puntúa, y por lo tanto no hay ganadores ni perdedores. Es una simple práctica de entrenamiento para el fútbol.

Cangrejo-fútbol

Este divertidísimo juego, además de arrancar sonoras carcajadas, desarrolla todas las técnicas básicas del fútbol.

Jugadores: 2 o más (número par)

Edades: 7 a 14

Lugar: Al aire libre, en la hierba, lejos del tráfico, peatones y ventanas

Equipo: Pelota de fútbol o de espuma; 4 ramas para los postes de las porterías; más ramas o piedras para delimitar el área de juego (opcional); reloj (opcional)

Corriendo de aquí para allá a cuatro patas, pero del revés, los jugadores de «Cangrejo-fútbol» pueden parecer francamente ridículos, pero lo cierto es que están perfeccionando su técnica de chut, pase e intercepción del balón. Al igual que en el fútbol real, el objetivo es anotar un gol introduciendo la pelota en la portería. Dado que los jugadores se apoyan con las manos en el suelo, no tienen otro remedio que usar las piernas y los pies si quieren desplazar el balón. Evidentemente, este juego requiere una considerable fuerza en los brazos y las piernas. Para evitar la fatiga excesiva, los participantes deben descansar a menudo (por ejemplo, 2 minutos cada 5 minutos de juego).

«Cangrejo-fútbol» debe jugarse en la hierba para evitar arañazos en las manos. El área de juego debería ser un cuadrado de 3 m de lado, aunque en un partido informal se puede prescindir de límites estrictos o bien usar ramas o piedras para delimitarla. En cualquier caso, hay que señalizar dos porterías en el centro de dos lados opuestos del campo. A tal efecto se pueden utilizar un par de ramas separadas 1,5 m.

Si hay más de dos jugadores, deben formar equipos iguales, decidiendo, antes de empezar, quién pondrá la pelota en juego. El partido se inicia en el centro del terreno de juego, con cada equipo (o jugador) en su lado del campo. Pero primero, y lo más importante, los jugadores deben colocarse en la posición del cangrejo (o araña), sentándose con las rodillas flexionadas y las manos apoyadas en el suelo a la altura de las caderas. Luego se incorporan para poder «caminar» con las manos y los pies. Deben intentar mantener esta posición durante todo el partido. Si un jugador está muy cansado, puede reposar en el suelo durante un par de segundos, pero no puede intervenir en el juego.

El jugador en posesión de la pelota puede driblarla con toques cortos, adelante o lateralmente, o bien pasarla a un compañero de equipo. El oponente debe esperar a que su rival haya chutado el balón y desplazarse, siempre a cuatro patas, con la intención de arrebatarle el balón. No está permitido empujar ni dar patadas. Desde luego, el uso de las manos no sólo no está permitido, sino que es prácticamente imposible. ¡Pruébalo y verás como pierdes el equilibrio y te caes!

Es realmente difícil contener la risa mientras intentas hacerte con el control de la pelota en una posición tan «artística», aunque los jugadores más avezados ahorran aliento y energía para invertirlos en la maniobra del balón hacia la portería contraria. Cuando se marca un gol, se anota 1 punto, y el juego se reanuda desde el centro. En este caso, pondrá la pelota en juego el equipo (u oponente) que ha encajado el tanto. Pero si falla y sale por la línea de fondo, el oponente recupera su posesión.

Si se usan líneas de banda, el equipo o jugador que no tocó el balón en última instancia gana la posesión allí donde salió. Asimismo, si un jugador comete una «falta» tocando al contrincante, éste recupera el control de la pelota allí donde se produjo.

«Cangrejo-fútbol» se puede jugar durante un período de tiempo predeterminado, en cuyo caso el equipo o jugador que ha marcado más goles al término de dos partes de 5 minutos gana el partido. También se puede acordar un número de goles para dar por terminado el juego. El primer jugador que lo alcanza es el ganador.

Hockey

No hace falta que sea invierno ni disponer de un equipo sofisticado para practicar este entrenamiento básico para el hockey.

Jugadores: 2 o más (número par), y un adulto que supervise

Edades: 8 a 14

Lugar: Fuera de casa, en una gran área pavimentada alejada del tráfico, peatones y ventanas

Equipo: Vaso de plástico o tapa de bote (no demasiado dura) para el «puck» o «pelota»; escoba para cada jugador; tiza o ramas para delimitar el área de juego; 4 cubos de basura (opcional); reloj (opcional)

Armados con escobas a modo de «sticks» de hockey, los jugadores intentan litcralmente «barrer» el «puck» e introducirlo en la portería contraria. Es un deporte velocísimo que se juega sobre pavimento, no sobre hierba ni hielo. Aunque a simple vista parece inofensivo, es esencial tener en cuenta todas las reglas de seguridad. También es aconsejable la presencia de un adulto que supervise el partido. Mientras corre, el jugador debe mantener la escoba vertical y no tocar nunca a un oponente. No está permitido empujar o poner la zancadilla.

Antes de empezar, se marca el campo y se señalizan dos porterías con tiza o ramas. Las dimensiones pueden variar a tenor del espacio disponible, aunque el terreno de juego debería ser un rectángulo de 63-90 m de longitud por 23-32 m de anchura. Las porterías se colocan en el centro de los lados cortos del campo, con una separación de postes de 1,8 m. Las porterías se pueden marcar son tiza o ramas, o dos cubos de basura.

Cada jugador debe disponer de una escoba, y un vaso de plástico o una tapa de bote hace las veces de «puck» o «pelota», a ser posible no muy dura para evitar lesiones en caso de impacto. Si hay más de dos jugadores, se formarán dos equipos iguales, que a continuación elegirán la portería que van a defender. Si cada equipo consta de más de dos jugadores, se designará uno como portero (arquero o guardameta). El adulto que suporvisa el juego puede actuar como árbitro.

Cada equipo se distribuye en su mitad de campo. El partido se inicia con un «face-off» (cara a cara) entre dos jugadores rivales en el centro del terreno de juego, situados a 1,5 m de distancia en sus respectivos lados del campo. El *puck* se coloca entre los dos, que ponen las escobas cada uno a un lado. A una señal del árbitro, los jugadores intentan ganar el control del *puck*. Si sólo hay dos jugadores, uno puede intentar desplazarlo a un lado para luego avanzar y superar la posición de su oponente. En la modalidad por equipos, es preferible pasarlo a un compañero de equipo.

Ahora, deslizándolo con la escoba, cada jugador desplaza el *puck* a lo largo y ancho del campo, hacia adelante, hacia atrás o lateralmente, procurando avanzar poco a poco hacia la portería contraria. Los niños se acostumbran enseguida a manejar el *puck* con destreza. El *puck* debe estar siempre en movimiento; no está permitido retenerlo, aunque se puede jugar con movimientos lentos. Sólo se puede utilizar la escoba para desplazar el *puck*; está prohibido hacer-

lo con los pies o con cualquier otra parte del cuerpo. La misma regla se aplica en el robo del *puck*. Sólo se puede usar la escoba. Las entradas fuertes o violentas se castigan con un «penalty». El oponente coloca el *puck* en el lugar donde se ha producido la infracción, y ningún jugador del equipo contrario puede estar a menos de 3 m del mismo.

Para marcar un gol, un jugador debe «chutar» (impulsar) el *puck* e introducirlo en la portería. Si lo consigue, el jugador o su equipo anotan 1 punto y se reanuda el partido con otro cara a cara en el centro del campo. Pero si falla y el *puck* sale por la línea de fondo, el jugador o equipo rival lo pone en juego desde una de las esquinas en este lado del campo. En cualquier otro lance en el que el

puck rebase los límites del terreno de juego, el jugador o equipo que no lo tocó en última instancia gana su posesión en el lugar desde donde salió.

El juego continúa hasta que un jugador o equipo consigue marcar un número predeterminado de goles. También se puede jugar en un período de tiempo, con dos mitades de 10-15 minutos. En este caso, el jugador o equipo que ha anotado más goles, gana.

Juegos de fuerza

Los juegos de este capítulo son competiciones de fuerza, resistencia, equilibrio, coordinación física o determinación. Algunos están diseñados en la modalidad de uno contra uno, y otros requieren juego de equipo. Todos implican una cierta «agresión» física, y es muy aconsejable la presencia de un adulto que supervise las contiendas. Es muy importante asegurarse de que los niños que compiten sean lo más similares posible en complexión, estatura, fuerza y capacidad de coordinación. La mayoría de estos juegos requieren muy poco equipo, o ninguno, y se pueden practicar dentro o fuera de casa según se indica en cada apartado.

Tira y afloja

Esta competición es una auténtica prueba de fuerza por equipos.

Jugadores: 6 o más, y un adulto que supervise

Edades: 8 a 14

Lugar: Fuera de casa, en la hierba o arena

Equipo: Cuerda larga y robusta; rama; trapo, pañuelo o cinta (opcional)

«Tira y afloja» es una competición de fuerza, coordinación y trabajo de equipo que se juega en todo el mundo. En algunas culturas antiguas, los dos equipos tirando de los extremos opuestos de la cuerda representaban dos fuerzas de la naturaleza (lluvia y sequía, por ejemplo, o verano e invierno) luchando por el predominio. En la actualidad, a los niños les encanta «Tira y afloja»; es muy divertido, sobre todo cuando el equipo contrario pierde pie, resbala y todos acaban en el suelo.

Los jugadores forman dos equipos lo más igualados posible en estatura y fuerza. En el centro de la cuerda se anuda un pañuelo, trapo o cinta, que se coloca en la línea central indicada con una rama. Los miembros de cada equipo se ponen en fila en lados opuestos de la cuerda, dejando 1-1,5 m de cuerda libre en medio. Luego toman la cuerda con las manos. El jugador situado en cada extremo puede actuar a modo de ancla, enrollándose la cuerda en la cintura. Debe ser el miembro del equipo más fuerte.

Una vez en posición, el adulto que supervisa la competición dice: «¡Preparados, listos, ya!», e inmediatamente los dos equipos empiezan a tirar de la cuerda con todas sus fuerzas, intentando arrastrar hacia el centro al equipo contrario. Si el primer integrante de un equipo cruza la línea central o un equipo suelta la cuerda, el equipo rival gana.

«Tira y afloja» se puede jugar en cualquier superficie blanda, como hierba o arena, pero resulta especialmente divertido cuando se disputa a ambos lados de un charco embarrado o un pequeño arroyo. En cualquier caso, el supervisor debe asegurarse de que no sea demasiado profundo y evitar las pendientes y el terreno accidentado o irregular. Como imaginarás, el juego siempre termina entre carcajadas y unos cuantos niños en remojo o embarrados.

Tira y afloja coreano

Esta versión de «Tira y afloja», muy popular en Corea, no requiere cuerda. Cada jugador de un equipo junta las manos alrededor de la cintura del compañero que tiene delante, y los dos capitanes, los primeros de cada fila, se toman de las manos o se sujetan de las muñecas. A una señal, cada equipo intenta arrastrar al equipo rival hasta que su capitán ha rebasado una línea marcada en el suelo.

Tira y afloja triangular

Esta versión de interior del «Tira y afloja» clásico se juega en tres frentes. La esquina más fuerte gana.

Jugadores: 3 y un adulto que supervise

Edades: 5 a 10

Lugar: Dentro de casa, en el pavimento enmoquetado, en una habitación espaciosa (retira el mobiliario y los objetos que se pueden romper), o al aire libre en cualquier superficie blanda (hierba o arena)

Equipo: Cuerda ordinaria o cuerda para tender la ropa robusta de aproximadamente 3 m de longitud; 3 pañuelos

«Tira y afloja triangular» es una competición de fuerza a mucha menor escala que el juego clásico y es ideal en una fiesta para niños en edad escolar. También es un buen entretenimiento dentro de casa, pues facilita la liberación de energía de un grupo de niños en un entorno cerrado. Después de jugar, estarán mucho más relajados. Los contendientes deben ser similares en estatura y fuerza física, pues de lo contrario la «competición» dejará de serlo.

Primero se anuda una cuerda de 3 m en círculo, y a continuación los tres jugadores la sujetan con una mano, tensándola hasta formar un triángulo. Es preferible que los niños se den la espalda y tiren con la mano detrás. Luego, el adulto que supervisa el juego coloca los tres pañuelos en el suelo frente a cada jugador, de manera que queden fuera de su alcance.

A una señal, los tres competidores intentan alcanzar su pañuelo sin soltar la cuerda, intentando utilizar el peso de su cuerpo para tirar hacia adelante en lugar de hacerlo sólo con los brazos.

El primer jugador que consigue recoger el pañuelo sin haber soltado la cuerda es el ganador.

La cadena

En esta competición de fuerza, los jugadores intentan pasar a través de una cadena humana.

Jugadores: 10 o más (número par), y un adulto que supervise

Edades: 5 a 10

Lugar: Fuera de casa, en la hierba o pavimento

Equipo: Ninguno

«La cadena» es un juego intensamente físico que favorece a los jugadores de complexión más fuerte, y aunque a los niños les resulta muy divertido, conviene que esté presente un adulto para asegurarse de que nadie sufre ningún daño.

Los jugadores forman dos equipos iguales y cada uno elige un líder. Luego, los dos equipos se alinean paralelos entre sí a 5 m de distancia. Los miembros de cada equipo se toman de las manos. (Para dar mayor solidez a la línea, pueden sujetarse de las muñecas.)

El juego empieza cuando el líder del primer equipo elige a uno de los jugadores del equipo contrario (llamémoslo Andrés) y dice: «¡Andrés, rompe la cadena si puedes!». Entonces, Andrés echa a correr hacia la línea opuesta y, esforzándose por romper la cadena, embiste contra un par de manos juntas. Si consigue pasar, elige a un miembro del equipo contrario, que deberá incorporarse a la fila de su propio equipo. De lo contrario, es él quien se integra en el equipo rival.

Ahora es el turno del segundo equipo, que anunciará, al igual que antes, el nombre de un miembro del primero. La mejor estrategia consiste en llamar primero a los contrincantes de menor estatura y más débiles con la intención de sumarlos a su línea como elementos de refuerzo.

La competición continúa hasta que un equipo ha capturado a todos los jugadores, menos uno, del equipo rival y gana el juego. También se puede jugar en un período predeterminado de tiempo, en cuyo caso, el equipo que haya capturado más jugadores es el ganador.

Un toro en el corro

Su objetivo es el mismo que el de «La cadena», es decir, pasar a través de una línea de jugadores con las manos unidas. Sin embargo, esta versión se juega en círculo, con un participante en el centro: el «toro», que carga contra la cadena desde esta posición. Cuando por fin consigue romperla, se inicia inmediatamente una persecución en la que todos los jugadores intentan atrapar al toro. Quien lo logra, gana y se convierte en el toro en la ronda siguiente.

El rey de la colina

El monarca en este juego defiende su reino a empellones.

Jugadores: 3 o más, y un adulto que supervise

Edades: 5 a 10

Lugar: Dentro de casa, en un pavimento enmoquetado, en una habitación espaciosa (retira el mobiliario y los objetos que se pueden romper), o al aire libre en la tierra, arena o nieve.

Equipo: Almohadones de sofá o cojines robustos si se juega en casa; nada si se juega fuera de casa.

«El rey de la colina» o «La reina de la colina» es una contienda en la que el monarca intenta proteger su territorio. A pesar de que el «rey» en este juego puede ser un niño de apenas 6 añitos encaramado a una pila de almohadones de sofá, su determinación (y capacidad de acción) en la defensa de sus dominios debe ser tenaz e incondicional. No es, pues, un juego para niños a los que les desagrade o cohíba el contacto físico, ya que en ocasiones el desarrollo del juego puede resultar un poquito rudo. Si se juega al aire libre, es preferible elegir un área con montículo de tierra o arena. Es ideal para jugar en la nieve o en la playa. En casa, un montón de grandes almohadones o cojines en medio de una alfombra es una buena alternativa. Procura que el montículo no sea demasiado elevado, de manera que si alguien se cae, no sufra daños. Ni se te ocurra utilizar muebles, toboganes o árboles.

Primero se designa a un jugador como rey o reina, que trepa a la «colina» para defenderla de los asaltantes. Los demás intentarán destronarlo encaramándose al montículo y empujándolo. No está permitido tirar del pelo, golpear, morder ni dar patadas. El asalto debe ser moderado y detenerse si un jugador protesta por lo que considera un uso excesivo de la fuerza. Para evitar accidentes, es importante que el supervisor señale un «tiempo muerto» cuando el juego empiece a acalorarse.

Los invasores continúan sus ataques al castillo hasta que el rey o la reina se ve obligado a huir. El primero que consigue trepar hasta lo alto se erige en nuevo monarca.

Verano e invierno

En esta competición, dos fuerzas simbólicas, verano e invierno, luchan por su supremacía.

Jugadores: 8, y un adulto que supervise

Edades: 6 a 12

Lugar: En casa, en una colchoneta grande de gimnasia (retira el mobiliario y los objetos que se pueden romper), o al aire libre en la nieve o arena

Equipo: Gorras, bufandas, foulards u otros marcadores para la mitad de jugadores; cinta adhesiva (opcional)

«Verano e invierno» es una versión infantil de la lucha sumo japonesa que combina elementos de fuerza física, resistencia, equilibrio y coordinación. Tiene sus orígenes en Tierra del fuego, un archipiélago situado en la punta más meridional de América del Sur donde predominan los inviernos crudos. Mientras los niños nativos esperan el retorno del verano, se divierten con la fantasía de ser capaces de ahuyentar al invierno a su antojo.

Aunque «Verano e invierno» se puede jugar dentro de casa en una colchoneta de gimnasia de grandes dimensiones, fuera, sobre todo en la nieve, es donde subyace el verdadero espíritu del juego (las prendas invernales amortiguan los golpes, caídas y magulladuras). También es ideal para jugar en la playa.

Primero los jugadores forman dos equipos iguales. Uno representa el invierno y el otro el verano. Si el número de jugadores es impar, el niño que sobra puede hacer de árbitro. Los miembros de cada equipo deben ser fácilmente identificables. Por ejemplo, el equipo del invierno podría llevar gorras o foulards para diferenciarse claramente del equipo del verano, que no hace falta que lleve distintivo alguno. (En Tierra del fuego, los miembros del equipo de invierno se embadurnan la frente con carbón.)

Se traza un círculo de 3,5-4,5 m de diámetro en la nieve o arena (o con cinta adhesiva en la colchoneta si se juega dentro de casa). Los jugadores de invierno empiezan en el interior del círculo, mientras los de verano se sitúan fuera. Todos los contendientes cruzan los brazos sobre el pecho y así los mantendrán durante todo el juego. Quien infringe esta regla queda eliminado.

A una señal del supervisor, los jugadores de verano entran en el círculo con el objetivo de expulsar a sus contrincantes invernales. Para ello los empujarán, pero sólo con la espalda, las nalgas y los hombros. Está prohibido sujetar con las manos, embestir con la cabeza, hacer la zancadilla, morder, usar las rodillas o los codos.

Los jugadores del equipo de invierno que van siendo expulsados del círculo se incorporan al equipo de verano y el forcejeo continúa, cada vez más desequilibrado. (El jugador que ha salido del círculo debe quitarse el distintivo para evitar confusiones.) El juego continúa hasta que todos los niños del equipo de invierno han sido expulsados. Al término de cada ronda, ambos equipos intercambian posiciones.

La cigüeña

En esta competición de equilibrio, los jugadores intentan obligar a la «cigüeña» rival a apoyar los dos pies en el suelo.

Jugadores: 2, y un adulto que supervise

Edades: 6 a 12

Lugar: En casa, en un pavimento enmoquetado o colchoneta de gimnasia (retira en mobiliario y los objetos que se pueden romper) o al aire libre, en la hierba o arena

Equipo: Foulard

«La cigüeña» es una contienda de fuerza, equilibrio y coordinación.
Los dos participantes se colocan frente a frente con el pie izquierdo

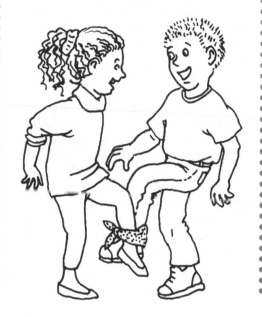

en contacto. El supervisor se los ata por los tobillos con un foulard, de manera que queden sueltos para que puedan moverse con facilidad. A una señal, los contrincantes elevan el pie izquierdo y empiezan a balancearse sobre el pie derecho.

La delicada misión de cada cual es ahora obligar al oponente a apoyar el pie izquierdo en el suelo mientras mantiene el suyo en alto. Desde luego, no es fácil hacerlo con los tobillos unidos, pero se puede conseguir. Los jugadores sacuden y desplazan la pierna izquierda intentando desequilibrar a su rival, pero sin brusquedades que podrían desequilibrarlos también a ellos. Está prohibido el contacto físico exceptuando el pie izquierdo.

Cuando uno de los dos apoya el pie izquierdo en el suelo, su oponente anota 1 punto. El juego se reanuda. El jugador que haya acumulado más puntos transcurrido un período predeterminado de tiempo (por ejemplo 2 minutos) es el ganador.

Pelea de gallos

En este juego inspirado en las peleas de gallos, los jugadores intentan desequilibrar a su oponente.

Jugadores: 2, y un adulto que supervise

Edades: 8 a 13

Lugar: Dentro de casa, en el pavimento enmoquetado o colchoneta de gimnasia (retira el mobiliario y los objetos que se pueden romper), o al aire libre en la hierba o arena

Equipo: Regla de 1 m para cada jugador

Esta competición de fuerza y equilibrio está inspirada en un juego de apuestas tradicional de México y otros países en el que dos gallos luchan uno contra el otro. En este juego los participantes imitan a los gallos, aunque en este caso la agresividad brilla por su ausencia; en realidad son dos alegres gallinitas que tratan de desequilibrarse. La posición que adoptan los jugadores y los saltitos que dan hacen las delicias de los niños.

Los dos contendientes se ponen en cuclillas, frente a frente, flexionados hacia adelante y abrazando las rodillas. A continuación, el supervisor desliza una regla de 1 m por debajo

de las rodillas de cada jugador y por encima de los codos.

A una señal, los contrincantes empiezan a andar como patitos intentando empujarse. Quien lo consigue es el ganador. Perder la regla supone perder el juego.

Mano a mano

Este combate mano a mano pone a prueba la fuerza y equilibrio.

Jugadores: 2, y un adulto que supervise

Edades: 9 a 14

Lugar: Dentro de casa, en el pavimento enmoquetado o colchoneta de gimnasia (retira el mobiliario y los objetos que se pueden romper), o al aire libre en la hierba o arena

Equipo: Ninguno

A pesar de su nombre, lo que realmente requiere «Mano a mano» es saber aprovechar toda la fuerza corporal. Los oponentes se colocan frente a frente con el pie derecho en contacto y el izquierdo bien plantado en el suelo, detrás del derecho, a modo de soporte. A continuación se toman de la mano derecha en cualquiera de las dos posiciones posibles (véase la ilustración).

A una señal, los jugadores empiezan a forcejear, empujar y tirar intentando desequilibrar al oponente. Pueden dar sacudidas con los brazos, tirar hacia los lados, hacia arriba y hacia abajo. Sin embargo, el contacto con la mano izquierda no está permitido. El primer jugador que levanta un pie del suelo o lo toca con cualquier parte del cuerpo diferente de los pies pierde la competición.

A la pata coja

Esta versión es idéntica a «Mano a mano» pero manteniendo el equilibrio sobre un pie. Los oponentes se sitúan frente a frente sujetándose el pie izquierdo con la mano izquierda, se toman de las manos y, a una señal, forcejean para desequilibrar al contrario. Pueden saltar mientras empujan y tiran. El primer jugador que se ve obligado a apoyar el pie izquierdo en el suelo o lo toca con cualquier parte del cuerpo diferente del pie derecho pierde. Esta competición de flamencos humanos suele terminar rápidamente.

Pulso

En esta clásica competición de sobremesa, los contendientes recurren a la fuerza muscular del brazo para ganar.

Jugadores: 2

Edades: 9 a 14

Lugar: Mesa con asiento para dos jugadores

Equipo: Ninguno

«Pulso», al igual que muchos juegos de fuerza a pequeña escala, tiene sus orígenes en un juego de apuestas para adultos, aunque con el tiempo los niños lo han ido adoptando sin esperar otra recompensa que la diversión. Como en la mayoría de las competiciones de fuerza, la emoción y la diversión desaparecen si los oponentes no están lo más igualados posible en complexión y fuerza.

En una contienda de «Pulso», los contrincantes se sientan frente a frente uno a cada lado de una mesa, apoyando cada cual el codo izquierdo en la mesa (el izquierdo si son zurdos) y estrechándose de las manos. Lógicamente, un pulso entre un diestro y un zurdo carece de sentido.

A la cuenta de tres, cada «luchador» intenta empujar hacia adelante la mano de su rival con la intención de que toque la mesa. Quien lo consigue es el ganador. Los codos deben permanecer siempre en contacto con la mesa. Los jugadores no pueden inclinarse ni usar el peso corporal para potenciar la fuerza del brazo. Tampoco está permitido usar la mano libre para sujetarse a la mesa

(o a cualquier otra cosa) para mantener el equilibrio. A menudo «Pulso» se disputa al mejor de tres o de cinco rondas.

Pulso de pulgares

Es una versión del «Pulso» clásico en la que pueden participar dos jugadores independientemente de su complexión y fuerza físicas. Los contrincantes se sientan frente a frente en lados opuestos de una mesa o en el mismo lado. Con el antebrazo derecho apoyado en la mesa y los pulgares hacia arriba, curvan los dedos y entrelazan la mano derecha. El meñique también está apoyado en la mesa y los pulgares reposan en el índice.

La competición se inicia a la cuenta de tres. En el «uno», los jugadores levantan los pulgares y vuelven a bajarlos; en el «dos», intercambian la posición de los pulgares, desplazándolos cada uno hacia el lado opuesto del de su oponente; y en el «tres» los echan rápidamente hacia atrás y los levantan para empezar el juego. El primer jugador que consigue pinzar el pulgar del contrario a la cuenta de tres es el ganador.

Las manos deben permanecer entrelazadas durante toda la competición. Los escarceos con el pulgar con constantes, subiendo, bajando, ladeando mientras el jugador intenta encontrar un buen ángulo de ataque. Se suele jugar al mejor de cinco o siete series.

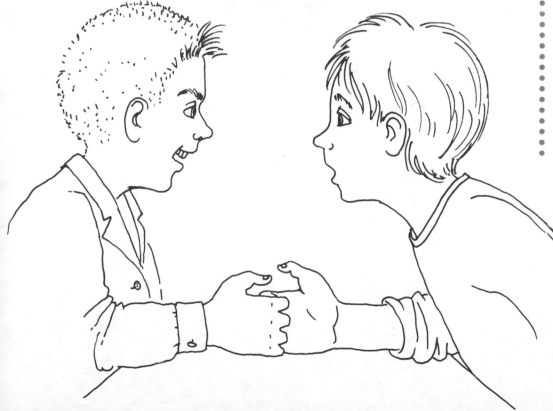

Lucha india

En esta competición de fuerza y resistencia es crucial no despegarse del suelo.

Jugadores: 2, y un adulto que supervise

Edades: 10 a 14

Lugar: Dentro de casa, en el pavimento enmoquetado o colchoneta de gimnasia (retira el mobiliario y los objetos que se pueden romper)

Equipo: Ninguno

La «Lucha india» es un concurso intensamente físico que despierta el interés de los niños por los combates de lucha profesional. Si no te gusta que te empujen y te sujeten, no juegues. Los jugadores deben estar lo más equilibrados posible en estatura y fuerza.

Para empezar, los dos contendientes se echan de espalda uno junto al otro con las cabezas apuntando en direcciones opuestas. Las piernas derechas deben estar próximas, pero no en contacto. Los jugadores entrelazan el brazo derecho a nivel del codo, contando en voz alta y elevando la pierna derecha una..., dos..., tres veces. Y a la tercera elevación, los dos entrelazan las piernas al nivel de las rodillas y empiezan a empujar para obligar al oponente a levantar la espalda del suelo. Quien la levanta, pierde.

Los brazos y las piernas deben permanecer entrelazados durante toda la competición y se puede usar el brazo izquierdo para equilibrarse.

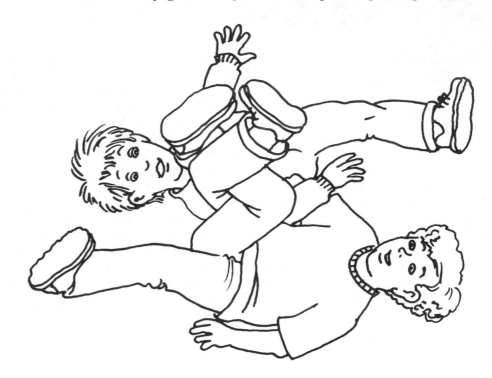

Juegos para fiestas

Prácticamente todos los juegos se pueden organizar en una fiesta. Así pues, elige los que te parezcan más divertidos y emocionantes entre los que se incluyen en este capítulo, pero sin olvidar las mil y una posibilidades que ofrecen las actividades de otros capítulos anteriores. La mayoría de los que aquí se describen son ligeramente competitivos, activos, sin caer en el uso de la fuerza, y aptos para casi cualquier grupo de niños, sin importar su número. Algunos de estos juegos atraerán a niños de todas las edades, aunque en general se centran en los más pequeños. Tal y como se indica en cada apartado, muchos juegos para fiestas requieren algún tipo de equipo, como por ejemplo globos, música, etc.

Es una buena idea preparar dulces o pequeños regalos para entregar a los participantes cuando quedan eliminados en un juego. Evitarás caritas de decepción y mares de lágrimas. Y por supuesto, debería haber un premio especial para el ganador.

El granjero en el pajar

Este juego no competitivo es un divertido entretenimiento para un grupo de pequeñines.

Jugadores: 6 o más

Edades: 3 a 7

Lugar: Dentro de casa, en una habitación espaciosa, o al aire libre, en la hierba o pavimento

Equipo: Ninguno

«El granjero en el pajar» es más una actividad que un juego, pero lo hemos incluido aquí porque constituye una buena forma de entretener a un nutrido grupo de niños pequeños. A los niños les divertirá recitar la cancioncilla del granjero y de todas las personas y animales que viven en la granja. Lógicamente, los preescolares necesitarán más ayuda.

Primero, todos los jugadores menos uno forman un corro y se toman de las manos. El jugador que queda, el «granjero», se coloca en medio del corro. A continuación, quienes forman el corro empiezan a moverse hacia la izquierda mientras cantan:

El granjero en el pajar,
el granjero en el pajar,
con su sombrero de paja,
el granjero en el pajar.

Al decir el segundo verso, el granjero señala a un jugador o jugadora del corro para que se una a él: su «mujer» o su «marido»:

El granjero se ha casado,
el granjero se ha casado,
con su sombrero de paja,
el granjero se ha casado.

El corro se estrecha y la tonadilla empieza de nuevo. En cada ronda, el último jugador que entra en el círculo elige a otro para que lo acompañe. Así continúa el juego, ronda tras ronda, cambiando los versos del texto:

La mujer tiene un hijo...
El hijo tiene un aya...
El aya pasea el perro...
El perro persigue al gato...
El gato persigue al ratón...
El ratón se come el queso...

Al final habrá más jugadores dentro del corro que fuera y los que lo forman no podrán tomarse de las manos. Aun así, seguirán girando a su alrededor.

Otras personas y animales pueden sustituir a los que se indican. Cada niño puede elegir. Sin embargo, el último verso, cuando sólo quede un jugador fuera del corro, siempre debe ser «El ratón se come el queso». Al entrar en el corro, todos los demás se toman de las manos a su alrededor y dicen:

¡Qué mal olía el queso!
¡Qué mal olía el queso!
El ratón se ha desmayado.
¡Qué mal olía el queso!

Ahora, el corro se rompe y los niños gritan y aplauden. El «queso» se convierte en el granjero en el siguiente juego.

Los días de la semana

Este juego musical no competitivo introduce a los niños pequeños en las tareas domésticas.

Jugadores: 4 o más

Edades: 3 a 6

Lugar: Dentro de casa, en una habitación espaciosa, o al aire libre, en la hierba o pavimento

Equipo: Ninguno

«Los días de la semana» es el juego de fiesta perfecto para los muy pequeñines. Incluso los que estén aprendiendo a hablar se divertirán realizando los movimientos sugeridos e interpretando la canción a su manera. En este juego no hay ganadores ni perdedores.

Los niños forman un corro y caminan en círculo cantando esta canción:

Lunes antes de almorzar
una niña fue a jugar,
pero no pudo jugar
porque tenía que planchar.
Así planchaba, así, así,
así planchaba, así, así,
así planchaba, así, así,
así planchaba que yo la vi.

Mientras cantan, los niños imitan la acción de planchar mientras siguen caminando, y lo mismo hacen con las demás estrofas de la canción:

Así lavaba, así, así...
Así cosía, así, así...
Así barría, así, así...
Así tendía, tendía, así, así...
Así cocinaba, así, así...

A los niños les gusta componer sus propios versos y acciones. Les podrías sugerir otros:

Así corría el coche...
Así volaba el pájaro...

En realidad, el juego no tiene final. Espera a que se cansen o a que se dejen caer en el suelo totalmente agotados de tanto dar vueltas, interpretar y caminar.

El corro de la patata

En este juego de corro no competitivo pueden participar los más pequeñines.

Jugadores: 4 o más

Edades: 3 a 5

Lugar: Dentro de casa, en un pavimento enmoquetado (retira el mobiliario y los objetos que se pueden romper), o al aire libre, en la hierba

Equipo: Ninguno

«El corro de la patata» es un juego en el que los niños cantan mientras saltan en círculo. No es fácil organizar y entretener a un montón de chiquillos de 2 años. Los juegos en corro son los más indicados para estas edades, pues en realidad poco más saben hacer. Aunque todo tiene sus ventajas, pues también es muy fácil complacerlos y conseguir que pasen un buen rato jugando. Las caídas, tropezones y carcajadas están asegurados.

Para jugar, se toman de las manos y forman un corro. Luego empiezan a caminar en círculo dando saltitos mientras cantan esta tonadilla tan popular:

El corro de la patata,
comeremos ensalada,
lo que comen los señores,
naranjitas y limones.
Arrupé, arrupé,
sentadita me quedé
en la silla del marqués.

Al decir la última palabra de cada verso (patata, ensalada, señores, etc.), los niños se agacharán (¡algunos se caerán de culete y a reír tocan!). Al terminar la canción, hay que tirarse al suelo. Les podrías sugerir pequeños cambios en cada ronda, como por ejemplo, en el primer corro, caminar; en el segundo, saltar; en el tercero, correr, etc. Asimismo, cuando todos se caigan por los suelos, podrías pedirles que hicieran determinados movimientos, tales como dar palmadas, rodar, levantar los brazos, las piernas, etc. Las posibilidades son interminables.

Ni que decir tiene que el juego concluirá cuando estén exhautos y empapados de sudor.

El puente de Londres

En este juego, los jugadores intentan evitar que los atrapen cuando pasan por debajo de un puente humano.

Jugadores: 8 o más

Edades: 3 a 7

Lugar: Dentro de casa, en un pavimento enmoquetado (retira el mobiliario y los objetos que se pueden romper), o al aire libre, en la hierba

Equipo: Ninguno

Jugar a «El puente de Londres» sigue siendo tan divertido hoy como lo era hace quinientos años. «El puente de Londres» es una combinación equilibrada de acción, organización y diversión y resulta ideal para niños pequeños en una fiesta.

Dos jugadores se colocan frente a frente y se toman de las manos formando un arco sobre su cabeza. Éste es el famoso puente, y los dos niños son sus torres. A continuación, en secreto, deciden quién será la torre de «oro» y quién la de «plata».

Los demás jugadores se ponen en fila a un lado del puente, y mientras empiezan a pasar, uno a uno, por debajo del puente, recitan el texto siguiente:

El puente de Londres se cae,
se cae, se cae, se cae.
El puente de Londres se cae.
Mi buena Reina, ¿qué haréis?

Al decir «Mi buena Reina», las «torres» bajan rápidamente los brazos, y el jugador que estaba pasando por debajo es hecho «prisionero». Ahora, el prisionero debe elegir a qué torre quiere ir, a la de oro o a la de plata.

Como es natural, no sabe qué jugador es cada torre, pero susurra su elección a los dos, asegurándose de que nadie más le oiga. Las torres lo envían al lado de oro o de plata con arreglo a su decisión.

A continuación se reanuda el juego y el desfile de niños, aunque ahora el texto es diferente:

Constrúyelo de barras de hierro,
de barras de hierro, de barras de
* hierro.*
Constrúyelo de barras de hierro.
Mi buena Reina, ¿lo haréis?

En el último verso, otro prisionero es encarcelado y enviado a una de las torres. El juego continúa, ronda tras ronda, cambiando siempre el texto de los versos:

Constrúyelo de piedra y acero...
De acero no puedo, no tengo acero...
Constrúyelo de oro y plata...
De plata no puedo, no tengo plata...
Alguien debe vigilarlo...
¿Y si el vigilante se duerme?...
Mejor un perro que ladre...
¿Y si el perro encuentra un hueso?...

Como es natural, si hay menos niños que versos, los últimos se pueden eliminar, y si hay más, podrías sugerirles que los más mayorcitos inventaran otros nuevos. En cualquier caso, siempre se pueden repetir los primeros. Cuando sólo queda un jugador, el texto final es:

Liberad al prisionero,
liberadlo, liberadlo.
Liberad al prisionero.
Mi buena Reina, ¿lo haréis?

Tras haber capturado al último jugador y después de que éste haya elegido una torre, cada equipo se alinea detrás de su torre. En una puede haber más jugadores que en la otra, ya que cada cual ha elegido ir a una u otra torre al azar. Ahora, cada niño sujeta por la cintura al que tiene delante, mientras las dos torres se sujetan las manos con todas sus fuerzas. Luego, los equipos empujan y tiran hasta que uno de ellos se cae. El equipo que queda en pie es el ganador.

Las sillas musicales

Los jugadores dan vueltas alrededor de las sillas, y cuando la música se detiene, el más lento pierde.

Jugadores: 6 o más, y un adulto o niño mayor (disc jockey)

Edades: 3 a 10

Lugar: Dentro de casa, en una habitación espaciosa (retira el mobiliario y los objetos que se pueden romper)

Equipo: Sillas (una menos que el número de jugadores); reproductor de música que se pueda parar y poner en marcha con facilidad (cassette, CD, radio)

De haber un juego infantil para fiestas que destaque sobre los demás, éste es sin duda «Las sillas musicales», uno de los más populares junto con «Poner la cola al burro» y «La piñata».

Primero se alinean las sillas una junto a otra, en direcciones alternas. Si el espacio es reducido, se pueden colocar respaldo contra respaldo en dos hileras. Un adulto o niño mayor es el disc jockey (DJ) encargado del equipo de música.

Luego los jugadores forman un círculo alrededor de las sillas, lo más separados unos de otros, y cuando todos están preparados, el DJ pone la música. Los participantes empiezan a caminar alrededor de las sillas sin tocarlas. Después de algunas vueltas, la música se detiene inesperadamente. En ese momento, cada jugador se apresura por encontrar un asiento libre y se sienta rápidamente. El que queda de pie está eliminado.

A continuación se retira una silla antes de empezar la siguiente ronda. La música suena de nuevo, los jugadores caminan alrededor de las sillas y de nuevo la música se detiene, quedando eliminado el niño que no consigue sentarse. En cada ronda queda eliminado un jugador y se retira una silla hasta que sólo quedan dos de pie. El duelo final decide el ganador.

En el suelo

Esta versión de «Las sillas musicales» se juega sin sillas. Los participantes bailan, caminan o saltan al compás de la música, y cuando deja de sonar, todos se sientan en el suelo lo más rápido posible. El último en sentarse queda eliminado y el juego continúa.

Cada cual tiene su silla

En esta versión, que requiere hojas de papel, rotuladores y una cinta adhesiva, hay el mismo número de sillas y jugadores. Para preparar el juego, cada cual escribe su nombre en un papel y lo pega en una silla. Ahora todos tienen su propia silla. Cuando suena la música, caminan alrededor de las sillas, y cuando deja de sonar, cada jugador corre hacia su silla. El último en llegar queda eliminado y permanece sentado. Completadas todas las rondas, el último niño en pie es el ganador.

Batiburrillo musical

En esta versión de «Las sillas musicales», los jugadores tienen que recoger un objeto (uno menos que el número de niños) en lugar de sentarse en una silla. Antes de empezar, se forma una pila de objetos irrompibles, tales como juguetes, bloques de construcción, peluches, pelotas, cojines y vasos de plástico. No hay que usar objetos puntiagudos. Cuanto mayor es su tamaño, más fáciles serán de alcanzar.

Al sonar la música, los jugadores bailan, saltan o caminan alrededor de la pila, y cuando se detiene, cada cual se apresura a recoger un objeto del suelo. El que no lo consigue, queda eliminado, y el juego continúa recogiendo un objeto en cada ronda. El niño que logra recoger el último objeto gana.

Islas musicales

En esta versión se usan grandes hojas de papel (como siempre, una menos que el número de jugadores) que se esparcen por toda la habitación. Cuando suena la música, los participantes caminan de aquí para allá entre las «islas» de papel, y al detenerse la música, intentan colocarse sobre una de ellas. En una isla puede caber más de un jugador, y sólo queda eliminado el que no consigue pisar tierra firme con los dos pies. ¡No vale empujar! Tanto si se elimina a un jugador como si no, en cada ronda se retira una hoja de papel. A medida que el juego continúa, cada vez es más difícil que los jugadores que quedan quepan en las hojas restantes, una menos cada vez. Cuando sólo queda una hoja, todos los jugadores que consiguen montarse en la última isla son los ganadores.

Estatuas musicales

En este juego musical, cuando deja de sonar la música, todos se quedan «de piedra».

Jugadores: 4 o más, y un adulto o niño mayor (disc jockey)

Edades: 4 a 10

Lugar: Dentro de casa, en un pavimento enmoquetado (retira el mobiliario y los objetos que se pueden romper), o al aire libre, en la hierba

Equipo: Reproductor de música que se pueda parar y poner en marcha con facilidad (cassette, CD, radio)

«Las estatuas musicales» es otro juego de la familia de «Las sillas musicales», aunque en este caso sólo se necesita música. Un adulto o niño mayor hace de disc jockey (DJ) y es el encargado del equipo de música.

Los jugadores se distribuyen por la habitación, y cuando el DJ pone en marcha el equipo de música, empiezan a bailar al compás. También pueden cantar, silbar o tararear. De pronto, la música deja de sonar y los niños deben convertirse en «estatuas», es decir, quedarse en la posición en la que están. Quien se mueve o hace un sonido queda automáticamente eliminado. Transcurridos unos segundos, la música vuelve a sonar y las estatuas vuelven a la vida.

Los ritmos musicales rápidos complican aun más si cabe el juego, pues los participantes se ven obligados a contorsionarse y moverse más deprisa, con lo cual, al detenerse la música, es casi imposible quedarse inmóviles. Los jugadores eliminados pueden poner las cosas más difíciles a las estatuas vivientes, contando chistes o haciendo expresiones faciales cómicas con la intención de que una estatua se ría.

El juego continúa, con la música sonando y dejando de sonar y los niños «congelándose» y «descongelándose» hasta que sólo queda uno, el campeón.

Estatuas

«Estatuas» es como «Las estatuas musicales» pero sin música.

Jugadores: 4 o más, y un adulto o niño mayor que supervisa

Edades: 5 a 12

Lugar: Dentro de casa, en un pavimento enmoquetado (retira el mobiliario y los objetos que se pueden romper), o al aire libre, en la hierba

Equipo: Ninguno

«Estatuas» desafía a los jugadores a permanecer inmóviles. Los niños tienen que adoptar una posición y mantenerla tanto tiempo como puedan.

Primero se elige a un jugador, el «escultor», que tomará a un jugador, le dará tres vueltas y lo soltará. De inmediato quedará inmóvil en la posición en la que está, como si fuera una «estatua».

Luego hará lo mismo con los demás jugadores, añadiendo otras tantas estatuas a la «exposición». No deben mover un músculo ni hacer ningún sonido. Cuando ha «modelado» todas las esculturas, el escultor se paseará entre ellas intentando hacerles reír o moverse. Puede reajustar la posición de los brazos o las piernas de una, gesticular, contar chistes o hacer muecas divertidas, aunque no está permitido golpear ni empujar. Las estatuas deben permanecer en la misma posición tanto tiempo como sea posible.

El último jugador que quede en juego una vez eliminados todos los demás es el ganador y se convierte en el escultor en la siguiente ronda.

Dioses y diosas

«Dioses y diosas» es un juego musical para fiestas que requiere gracia y equilibrio.

Jugadores: 3 o más, y un adulto o niño mayor (disc jockey)

Edades: 6 a 12

Lugar: Dentro de casa, en una habitación espaciosa, con o sin moqueta (retira el mobiliario y los objetos que se pueden romper)

Equipo: Libro de tapas rígidas para cada jugador; reproductor de música que se pueda parar y poner en marcha con facilidad (cassette, CD, radio)

Al igual que «Las sillas musicales», «Dioses y diosas» es un juego en el que la acción de los jugadores depende del sonido de la música, aunque en este caso sin alboroto ni corretéos; se mueven a paso lento. Tal y como ocurre en «Las sillas musicales», un adulto o niño mayor hace de disc jockey (DJ), ocupándose del equipo de música.

Antes de empezar, se da un libro de tapas duras a cada jugador, de tamaño y peso similares. Los participantes se dispersan por la habitación y se lo ponen en equilibrio en la cabeza.

Cuando todos están preparados, el DJ pone la música (en este juego es preferible que sea lenta y suave) y los jugadores empiezan a caminar por la habitación con mucho cuidado para que no se les caigan los libros. Desde luego, la escena es divertidísima. Los niños siguen avanzando mientras suena la música. Está prohibido tocar el libro con la mano.

De vez en cuando, el DJ para la música, los jugadores deben detenerse y, con mucho cuidado, apoyar una rodilla en el suelo, manteniendo esta posición hasta que la música vuelva a sonar. Entonces se ponen de nuevo en pie y continúan caminando.

Al jugador que se le caiga el libro mientras camina o al arrodillarse queda eliminado. Mantener un libro en equilibrio sobre la cabeza no es nada fácil, y es probable que el juego no dure demasiado. El último que consiga conservarlo en equilibrio es el ganador.

El gatito y su esquinita

En esta versión al aire libre de «Las sillas musicales», el gatito sin esquinita queda desamparado.

Jugadores: 5 o más

Edades: 3 a 7

Lugar: Fuera de casa, en la hierba

Equipo: Ninguno

«El gatito y su esquinita» es un juego de carrera que divierte mucho a los pequeños. Se basa en el mismo principio que «Las sillas musicales»: no hay suficientes «esquinitas» para todos los participantes, pero nadie queda eliminado y, por lo tanto, no hay ganadores ni perdedores.

Primero se elige un jugador para que sea el «gatito», que se coloca en medio del área de juego, y luego se designan como «esquinitas» diversos objetos, tales como árboles, columpios del parque infantil, vallas, esquinas de edificios, etc. Cada jugador excepto el gatito se sitúa junto a uno de estos objetos.

El juego se inicia cuando el gatito maúlla y dice: «¡El gatito quiere una esquinita!». Entonces, cada jugador debe abandonar su esquinita y correr hacia otra. El que se queda sin, es el nuevo gatito.

Pasa el regalo

En este juego de corro, el jugador que desenvuelve el último papel gana el premio.

Jugadores: 4 o más, y un adulto o niño mayor que prepara el juego y hace de disc jockey

Edades: 3 a 8

Lugar: Dentro de casa, en una habitación con asiento en el suelo para todos los jugadores

Equipo: Juguete pequeño, caramelo u objeto similar (premio); papel de regalo y cinta adhesiva; reproductor de música que se pueda parar y poner en marcha con facilidad (cassette, CD radio)

En «Pasa el regalo», los jugadores se pasan un obsequio sorpresa envuelto en varias hojas de papel mientras suena la música. Pero al detenerse, empiezan a desenvolverlo, cada uno una hoja, hasta que el afortunado quita el último envoltorio y consigue el premio. Esta actividad también es ideal para tranquilizar a un grupo de niños revoltosos y acalorados en una fiesta después de juegos basados en correr, saltar o perseguir. En este juego el adulto o niño mayor hace de disc jockey (DJ), poniendo y parando la música.

También se debe encargar de preparar con antelación el regalo misterioso, envolviendo un juguete pequeño o un dulce en diez o más hojas de papel de diferentes colores y diseños y pegándolas con cinta adhesiva.

Para jugar, los participantes se sientan en el suelo formando un corro y se da el paquete a uno de ellos. Cuando todos están preparados, el DJ pone la música y los niños empiezan a pasar el paquete de mano en mano alrededor del círculo de izquierda a derecha. Inesperadamente, el DJ para la música y el pase del regalo se detiene. Quien lo tiene le quita el primer envoltorio. Debe hacerlo con cuidado para no rasgar las demás hojas de papel.

Luego la música suena de nuevo y el regalo vuelve a circular. A medida que la música suena y deja de sonar, los niños van desenvolviendo el paquete, hoja a hoja. El jugador que tiene la suerte de quitar el último envoltorio gana el premio.

«Pasa el regalo» también se puede jugar como juego de eliminación en el que todos ganan. En lugar de envolver el obsequio con diez hojas de papel, el adulto o niño mayor que prepara el juego envuelve tantos presentes como jugadores hay con un solo envoltorio. (Uno de los regalos debería ser un poco mejor que los demás y guardarlo para el final.) El primer regalo circula por el corro mientras suena la música.

Al detenerse, quien lo tiene en las manos lo desenvuelve y se lo queda, pero tiene que abandonar el juego. Luego empieza a circular otro regalo cuando suena de nuevo la música. El último que queda en juego recibe el premio más importante.

El paquete misterioso

En esta versión, para niños de 6 a 8 años, el premio está envuelto en muchas hojas de papel igual que en «Pasa el regalo», aunque en este caso se escribe un mensaje en cada envoltorio que indica al jugador que lo tiene en las manos al parar la música a quién tiene que dárselo para que lo abra. El mensaje, por ejemplo, podría decir: «Pasa el paquete al jugador que tiene el pelo más largo». Al parar la música, quien tiene el paquete lee el mensaje y se lo da al compañero apropiado, el cual lo abrirá antes de que la música vuelva a sonar. Al igual que en «Pasa el regalo», el jugador que quita el último envoltorio se queda el premio.

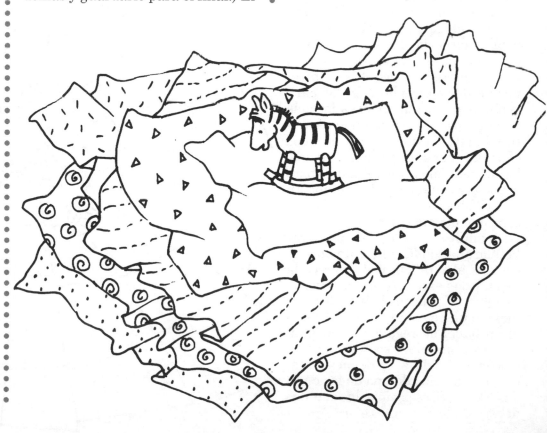

La telaraña

En este juego de cooperación, los jugadores desenredan un amasijo de cuerdas para alcanzar sus premios.

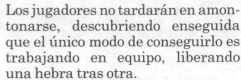

Jugadores: 3 o más, y un adulto que prepara el juego y supervisa

Edades: 5 a 11

Lugar: Dentro de casa, en una habitación espaciosa llena de muebles (retira los objetos que se pueden romper), o al aire libre, en un área definida

Equipo: Trozo de cuerda o hilo de 3-6 m (a ser posible de diferentes colores) para cada jugador; etiqueta con el nombre de cada jugador; pequeño regalo envuelto para cada jugador; tijeras

«La telaraña» es un juego apasionante que recompensa a todos los participantes. Los niños trabajan en equipo intentando desenmarañar una «telaraña» de cuerda o hilo. Cada trozo conduce a un regalo, pero dependiendo del lío de cuerdas, se puede tardar bastante en llegar hasta él. Para niños muy pequeños conviene enredar menos las cuerdas para evitar frustraciones, y para los más mayorcitos, incluso se puede sustituir la cuerda por hebras de hilo. «La telaraña» se puede jugar en una habitación muy amueblada (pero sin objetos que se puedan romper) o al aire libre en un espacio definido, como por ejemplo un patio.

Un adulto se encarga de preparar la telaraña con la suficiente antelación; es algo difícil, pero merece la pena. En el extremo de cada cuerda se puede colocar una bolsita de caramelos o un pequeño juguete envuelto en papel de regalo. A continuación, cada premio se esconderá en un rincón oculto del área de juego, atado a un extremo de una de las cuerdas o hilos. Si es posible, las cuerdas deben ser de diferente color.

Ahora, cada cual va tirando poquito a poco de una cuerda, que pasarán por encima, por debajo o alrededor de los muebles que haya en la habitación (sofás, mesas, sillas, revisteros, setos, vallas, columpios, etc.). Asimismo, las cuerdas o hebras de hilo estarán entrelazadas. En el extremo de cada cuerda se ata una etiqueta o cuartilla de papel con el nombre de cada jugador. Practica un agujero con un punzón, ensarta la cuerda y anúdala. Cuando las cuerdas hayan superado todos los obstáculos, el área de juego parecerá una inmensa telaraña.

Ahora, a una señal del supervisor, cada niño se dirigirá a su etiqueta y empezará a desenmarañar y recoger su hebra.

Los jugadores no tardarán en amontonarse, descubriendo enseguida que el único modo de conseguirlo es trabajando en equipo, liberando una hebra tras otra.

El primer jugador que alcanza su premio es el ganador, pero el juego no termina hasta que todas las hebras han sido desenredadas y cada niño tiene su regalo sorpresa. Tardarán más o tardarán menos, pero al final deberían conseguirlo. En cualquier caso, siempre es una buena idea que el supervisor tenga a mano unas tijeras.

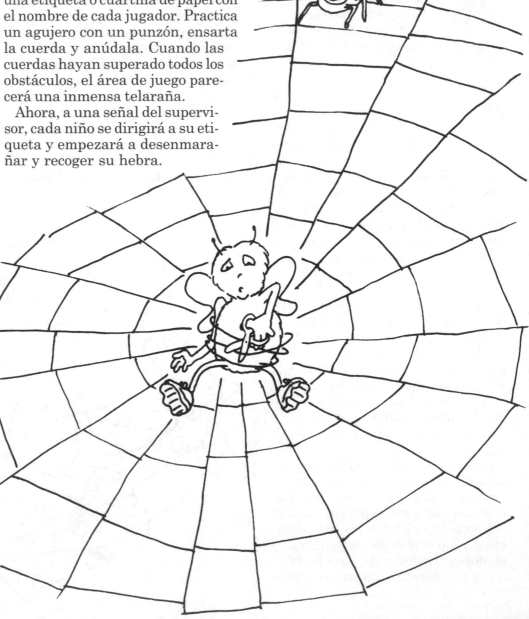

El teléfono

En este juego de mensajes entrelazados, los jugadores intentan pasar una frase susurrada sin que se embrolle demasiado.

Jugadores: 6 o más

Edades: 6 a 14

Lugar: En cualquier lugar con asiento para todos los jugadores formando un círculo

Equipo: Ninguno

«El teléfono» es un juego excelente para romper el hielo entre los niños en una fiesta, pues tienen que hablarse.

Para jugar, los participantes se sientan en círculo en el suelo. Uno empieza, y su tarea consiste en pensar un breve mensaje de cualquier tipo. Podría ser: «Juanito se cayó en un charco lleno de barro» o «María se ha comido todo el queso», o también algo completamente absurdo como «El desierto del Sahara está atestado de pingüinos». El mensaje no importa. (Si los niños son muy pequeños, se les puede sugerir una frase.) Cualquiera que sea el mensaje, el primer jugador lo susurra al oído de su compañero de la derecha, y así continúan hasta que llega de nuevo al primer jugador.

El mensaje se debe susurrar lo más claramente posible, pero en el caso de que el vecino no lo haya oído bien, no puede repetirse. En tal caso, el vecino tiene que pasarlo tal y como cree haberlo oído. Lo más probable es que al final el mensaje se convierta en un lío irrepetible de sonidos.

Y el lío se evidencia precisamente cuando el último jugador anuncia en voz alta lo que cree que dice el mensaje y el primero repite el mensaje original. Llegados a este punto, «Juanito se cayó en un charco lleno de barro» podría haberse transformado en «El pito se oyó en un barco lleno de sarro». El juego continúa hasta que todos los niños han tenido la oportunidad de enviar un mensaje. Los más traviesos elegirán mensajes de por sí fáciles de confundir. En realidad, en esto reside el verdadero espíritu del juego.

En «El teléfono» no hay perdedores, sólo ganadores, pues al fin y al cabo todos disfrutan de lo lindo con las frases sin sentido que se transmiten a través de los hilos telefónicos.

Sabores

En este juego lo que cuenta es la lengua y la imaginación.

Jugadores: 3 o más, y un adulto que prepara el juego y supervisa

Edades: 3 a 10

Lugar: Dentro o fuera de casa, sentados a una mesa

Equipo: 5-15 alimentos diferentes con cubiertos y vasos; vendas (foulard); lápiz y papel para anotar

En este juego los participantes deben identificar diferentes alimentos por el sabor, aroma y textura, sin verlos ni tocarlos.

Un adulto debe encargarse de preparar el escenario de la prueba. Mucho antes de que empiece el juego, reunirá varias porciones de 5 a 15 alimentos diferentes, incluyendo bebidas, dependiendo del número de participantes, para que todos tengan una pequeña muestra de cada alimento.

La selección de los alimentos es muy importante, y el adulto debería dar rienda suelta a su imaginación. A menudo es una buena idea servir una amplia variedad de texturas y sabores, desde galletitas saladas, chocolate y zanahorias hasta pasas de Corinto, huevos duros y pudding. Otra alternativa consiste en preparar alimentos similares, tales como frutas u hortalizas. En este caso, las sutiles diferencias en el sabor son perfectas para los niños mayores. La leche, los zumos y otras bebidas también son adecuados en este test de sabores. En cualquier caso, de realizar la selección conviene preguntar a los padres si algún niño es alérgico a algún tipo de alimento.

Una vez dispuesta la mesa, los jugadores deben esperar en otra habitación, y cuando todo esté preparado, se les vendará los ojos y el adulto los conducirá, uno a uno, hasta la mesa, dándoles a probar cada alimento. El niño intentará identificarlos por su sabor mientras el adulto anota las respuestas correctas e incorrectas en una hoja de papel.

Cuando todos han realizado la prueba, se totalizan los resultados, y el jugador con un mayor número de aciertos recibe el Premio Lengua de Oro. Una vez proclamado el vencedor, ¡a comer lo que ha quedado!

Contorsiones

Esta competición de flexión y contorsión requiere mucha agilidad para pasar por debajo del listón.

Jugadores: 4 o más

Edades: 3 a 14

Lugar: Dentro de casa, en un pavimento enmoquetado, o al aire libre, en la hierba o arena

Equipo: Mango de escoba o listón de madera de longitud similar

En realidad, «Contorsiones» es un baile originario de las Indias Occidentales. Se puede jugar con o sin música de acompañamiento y requiere flexibilidad y equilibrio.

Para empezar, dos niños sostienen un listón largo y recto, como por ejemplo, un mango de escoba, uno por cada extremo, a la altura del pecho.

Los jugadores se ponen en fila y, por turnos, intentan pasar por debajo del listón sin tocarlo, sin arrastrarse ni apoyar las manos en el suelo. En el juego clásico, la cabeza y la espalda se arquean hacia atrás mientras se estiran los brazos hacia los lados para mantener el equilibrio. Los pies se arrastran, primero uno y luego el otro, dando pasitos cortos, o bien pequeños saltitos con los dos a la vez. La cabeza debe ser la última parte del cuerpo en pasar por debajo del listón, con una cierta tolerancia en el caso de los niños más pequeñines.

Cuando todos los participantes han realizado la prueba, se ponen de nuevo en fila, el listón se baja unos cuantos centímetros y se repite el proceso. Ni que decir tiene que, a medida que se desarrolla el juego, pasar por debajo del listón resulta cada vez más difícil.

Uno a uno, los jugadores van descubriendo que, a cierta altura, es imposible pasar. Golpear el listón con la cabeza o caerse de culo supone la descalificación.

El último competidor en juego después de que todos hayan quedado eliminados, es el campeón.

Simón dice

¿Sólo Simón? ¡Pues no! En este juego activo para fiestas hay que escuchar atentamente y seguir instrucciones.

Jugadores: 3 o más

Edades: 4 a 10

Lugar: Dentro o fuera de casa, en una habitación espaciosa (retira el mobiliario), o al aire libre, en la hierba o pavimento

Equipo: Ninguno

«Simón dice» se remonta a varios siglos atrás y tiene sus orígenes en Europa meridional como un ejercicio de preguntas y respuestas destinado a fomentar el buen comportamiento de los niños. Los jugadores deben seguir las instrucciones que da el líder del juego, pero sólo si dice «Simón dice». Aunque las reglas son lo bastante simples para que puedan comprenderlas los pequeñines a partir de 4 años, incluso un astuto niño de 10 años puede caer en la trampa de un «Simón» pronunciado a toda prisa. Además de muy divertido, «Simón dice» desarrolla las habilidades de concentración y escucha.

Un niño (o un adulto) se elige como «Simón», y los demás se alinean frente a él. Cuando todos están preparados, Simón empieza a dar órdenes al grupo, diciéndoles, por ejemplo, que den palmadas, se metan el dedo en la nariz o salten. Simón también tiene que hacerlo.

Siempre que Simón da una instrucción que empieza con las palabras «Simón dice», como por ejemplo, «Simón dice saltar a la pata coja», los demás participantes deben obedecer, pero si da la orden sin empezar con aquellas palabras, no deben hacerlo. Quien no sigue una instrucción que empieza con «Simón dice» o la sigue cuando no ha empezado por «Simón dice», queda eliminado.

Durante el juego, Simón intenta pensar en formas de confundir a los participantes, los cuales, a su vez, deben evitar pasarse de listos. El secreto para ser un buen Simón es tener la habilidad de dar instrucciones muy deprisa y rítmicamente, demostrando las acciones sin dudar. De este modo, cuando omite «Simón dice», es más probable que alguien realice la acción automáticamente sin pararse a pensar. Una buena estrategia consiste en dar una orden cinco o seis veces antes de cambiarla inesperadamente por otra nueva que no incluya «Simón dice».

El juego continúa hasta que los jugadores quedan eliminados uno a uno, y el último es el ganador. Si se juega otra ronda, es Simón.

Haz esto, haz eso

Esta versión es muy parecida a «Simón dice», excepto que el líder no especifica la acción que está ordenando; simplemente la demuestra. Dicho de otro modo, en lugar de decir a los jugadores que den palmadas en el vientre, simplemente lo hace. Pero antes de realizar la acción dice: «Haz esto» o «Haz eso». Si dice «Haz esto», todos deben obedecer la orden, y si dice «Haz eso», deben ignorarla. Quien comete un error, queda eliminado.

Ponerle la cola al burro

En este clásico juego para fiestas, los jugadores, con los ojos vendados, intentan recolocar a un burrito la cola que ha perdido.

Jugadores: 4 o más, y un adulto que prepara el juego y supervisa

Edades: 4 a 8

Lugar: Dentro de casa, en una habitación espaciosa con una pared sin cuadros ni muebles adosados, o al aire libre, en un árbol o pared

Equipo: Hoja grande de cartulina o papel de embalar; cola de papel para todos los jugadores; rotuladores o pintura; tijeras; tachuelas, plastilina, Bluetack o cinta adhesiva; venda (foulard, pañuelo)

«Ponerle la cola al burro» es uno de los juegos infantiles más populares de todas las épocas y uno de los preferidos de muchas generaciones, pues combina la suerte, la habilidad, el suspense, el humor y una buena dosis de mareo. Se puede jugar dentro o fuera de casa, aunque es importante disponer de un área despejada para evitar tropezones, y sobre todo nadie cerca del objetivo. Una tachuela mal dirigida puede causar desperfectos en los muebles, y sobre todo, ¡duelen si te pinchan!

En las jugueterías y tiendas de artículos para fiestas suelen vender tableros preparados para jugar a «Ponerle la cola al burro», con el burro dibujado y docenas de tachuelas, aunque las versiones caseras son mucho más divertidas. Veamos cómo se hace. Se dibuja un burro en una hoja grande de cartulina y se pinta con rotuladores o pintura. (También se puede sustituir el burrito en cuestión por otros animales.) El dibujo debe ser de perfil (véase la ilustración) y, como es lógico, sin cola. Luego se recorta una tira de papel de varios centímetros de longitud para cada participante, y cada cual escribe su nombre o sus iniciales en ella. Cerca de un extremo se clava una tachuela (o una bolita de plastilina o Bluetack para los niños muy chiquitines), de manera que la tira quede colgando. Son las colas del burro.

A continuación, con cinta adhesiva, plastilina o Bluetack, se pega la cartulina en un árbol o una pared a la altura de los ojos de los niños. Cada niño recibe una cola.

Los jugadores se ponen en fila y el adulto les venda los ojos uno a uno. Ahora es cuando empieza el juego. El supervisor da tres vueltas al primer participante (esto se puede eliminar si los niños son muy pequeños) y lo orienta hacia el burro. El niño intentará caminar en línea recta (¡con el mareo es un poquito difícil!) hacia el burrito y colocar la cola lo más cerca posible del lugar adecuado a tenor de la anatomía «burril».

Cuando todos han probado, el jugador que ha conseguido ponerla más cerca de donde se supone que debería estar es el ganador.

El avión en el mapa

Esta versión de «Ponerle la cola al burro», que se juega con un mapa del mundo de gran tamaño y aviones recortados, es muy divertido para niños un poco mayorcitos (6 a 10 años). Los pilotos, con los ojos vendados, se turnan intentando navegar con sus aeroplanos hacia un destino predeterminado en el mapa. Quien consigue aterrizar más cerca gana.

La piñata

Los jugadores se turnan para intentar romper la piñata y provocar una lluvia de dulces.

Jugadores: 4 o más, y un adulto que prepara el juego y supervisa

Edades: 5 a 12

Lugar: Dentro de casa, en una habitación espaciosa (retira los objetos que se pueden romper), en un porche o al aire libre, en la hierba o pavimento

Equipo: Piñata (se vende en las tiendas de artículos para fiestas) o materiales para confeccionar una (2 bolsas de papel, periódico, cuerda, rotuladores o pintura, papel pinocho, cinta adhesiva, caramelos y baratijas para los premios); bate, bastón o mango de una escoba; venda (foulard, pañuelo)

En este juego mexicano, muy tradicional en Navidades, los niños se turnan intentando romper, con los ojos vendados, un recipiente decorado repleto de caramelos y juguetes pequeños. En las tiendas se venden piñatas muy bonitas en forma de animales, aunque a los pequeños también les gustará jugar con una piñata de confección casera.

Para confeccionarla, pon una bolsa de papel dentro de la otra, llénala de dulces y pequeños juguetes de plástico, y rellena el espacio restante con bolas de papel de periódico. Ata la boca de las bolsas y, finalmente, decora la piñata con rotuladores o pintura y guirnaldas de papel pinocho.

A continuación se cuelga del techo, de un gancho o cinta adhesiva (si se juega en casa) o de una rama de árbol (si se juega al aire libre). Debe colgar más arriba de la cabeza de los niños, pero de manera que sea accesible con un bate o bastón.

Los jugadores forman una fila y, por turnos, intentan romperla acertando con el bastón. Primero se les venda los ojos, se les da el bastón y se les da tres vueltas. Cada cual tiene un intento para romperla. Si no lo consigue, es el turno del siguiente en la fila.

El juego continúa hasta que alguien propina un golpe certero en la piñata y se rompe, lloviendo caramelos y premios para todos los participantes.

Carrera de pompas de jabón

Esta competición de pompas de jabón es muy divertida en una fiesta al aire libre para niños pequeños.

Jugadores: 4 o más (número par)

Edades: 4 a 7

Lugar: Fuera de casa, en la hierba o pavimento

Equipo: Recipiente con solución jabonosa (comercial o casera) y aro para cada niño (en las jugueterías se venden botellines de solución jabonosa con aro incluido, aunque se puede sustituir por un aro de alambre); ramas o tiza para marcar el área de juego

Las pompas de jabón fascinan a los niños pequeños. A los más chiquitines les basta observarlas flotando y brillando en el aire para entretenerse, y los más mayorcitos se lo pasan en grande si además tiene la oportunidad de competir. La «Carrera de pompas de jabón» desafía a los jugadores no sólo a soplar grandes pompas, sino también a impulsarlas de un extremo a otro del área de juego. Eso sí, este juego pierde todo su interés si hace viento.

Es más fácil si cada niño tiene su botellín de solución jabonosa. Se venden en las jugueterías, no son caras y llevan el aro incorporado. Una alternativa consiste en preparar una solución casera con agua y detergente líquido, añadiendo un poco de glicerina (un lubricante habitual que encontrarás en las droguerías) para que las pompas no se peguen entre sí. Mezcla 4 litros de agua, medio vaso (65 ml) de detergente líquido y 1 cucharadita (2,5 ml-5 ml) de glicerina, y luego reparte la solución entre los niños. La solución casera se puede poner en un barreño o una bañera, y los participantes pueden usar un aro comercial o un alambre en forma de bucle para soplar.

Para preparar el área de juego, se marcan en el suelo tres líneas paralelas de 3 m de longitud y con 1 m de separación. Los participantes forman dos equipos iguales y se ponen en fila, unos frente a otros, a cada lado de la línea central. Para empezar, un jugador de un equipo

sopla una pompa (si se hace despacio, salen más grandes), y cuando se eleva en el aire, los dos equipos soplan para enviarla más allá de la línea de gol del equipo contrario.

Los niños pueden cruzar la línea central y perseguir la pompa adonde quiera que vaya o para evitar que supere su línea de gol. Pero no está permitido usar las manos, nariz u otras partes del cuerpo para desplazarla. En cualquier caso, estallaría. Tampoco pueden sacudir las manos para hacer viento. Sólo pueden soplar. El equipo que consigue pasar la línea de gol del equipo rival con

una pompa de jabón anota 1 punto, y si estalla sin que nadie haya marcado gol, los equipos se reúnen de nuevo en la línea central y vuelta a empezar.

Los equipos se alternan soplando pompas. Transcurrido un período de tiempo predeterminado (por ejemplo, 10 minutos) o alcanzada una puntuación previamente acordada, el equipo con más puntos gana el partido.

Goles en el pasillo

Los equipos compiten para marcar goles empujando un globo a través de un pasillo.

Jugadores: 6 o más (número par)

Edades: 4 a 8

Lugar: Dentro de casa, en una habitación espaciosa (retira el mobiliario y los objetos que se pueden romper) o al aire libre, en la hierba o pavimento

Equipo: Globo (inflado con aire, no helio)

Los juegos con globos son un clásico en las fiestas infantiles para niños muy pequeños. Después de todo, nada dice mejor «Feliz cumpleaños» que un globo. Los pequeñines disfrutarán de la emoción de intentar marcar goles con un globo loco que brinca en todas direcciones, cuando lo que desean en realidad es impulsarlo en línea recta. Las carcajadas son inevitables.

Primero los jugadores forman dos grupos iguales, y los dos grupos se sientan en el suelo en dos filas, frente a frente. En medio de las dos líneas debe quedar un espacio de 60 cm-

1,5 m. Éste es el «pasillo». A continuación, forman dos equipos, ahora sí, empezando a contar desde un extremo (los jugadores impares se alinean a un lado y los pares al otro). Un extremo del pasillo es la portería de un equipo, y el opuesto la del otro.

Para empezar, se coloca el globo en medio del pasillo, y a la cuenta de tres, cada equipo intenta marcar golpeándolo hacia la portería contraria y evitando que entre en la

suya. (Al igual que en el fútbol, un equipo marca introduciendo el globo en la portería de los oponentes; si los niños son muy chiquitines y no lo comprenden, basta con indicarles la dirección en la que deben apuntar.) El globo no se puede sujetar con las dos manos, sino sólo golpearlo con las palmas. Los participantes permanecen sentados durante el juego. Cuando el globo sale por un extremo del pasillo, el equipo que ha marcado anota 1 punto, y el globo se coloca de nuevo en el centro.

El equipo con más puntos después de un período predeterminado de tiempo es el ganador. También se puede competir para ser el primero en alcanzar una puntuación preestablecida.

Por encima de la cabeza

En esta versión, las dos hileras de jugadores son equipos rivales. Deben sentarse en el suelo con una separación de 60 cm a 1,5 m. Al igual que en «Globos en el pasillo», el globo se pone en el centro, pero ahora los jugadores intentan pasarlo por encima de la cabeza de los miembros del equipo contrario. Cuando el globo cae en el suelo detrás de la línea de jugadores del otro equipo se marca un gol. Se puede golpear alto o bajo, deprisa o despacio, entre dos jugadores o por encima de su cabeza. Pueden inclinarse hacia adelante o hacia atrás tanto como sea necesario para evitar que el globo caiga en el suelo a sus espaldas, pero nadie puede moverse de la posición que ocupa. El equipo que marca más goles gana el partido.

Vuelo de globos

El jugador cuyo globo recorre una mayor distancia gana esta divertida carrera.

Jugadores: 2 o más, y un adulto que da la salida

Edades: 5 a 8

Lugar: Dentro de casa, en una habitación espaciosa (retira el mobiliario y los objetos que se pueden romper)

Equipo: Globo (lleno de aire, no de helio), a ser posible de diferente color, para cada jugador; rotulador (opcional)

«**V**uelo de globos» requiere coordinación y dedos hábiles. Es un juego extraordinario para un espacio cerrado, ya que los globos tienden a desplazarse en la dirección más inesperada.

Para empezar, cada niño recibe un globo de diferente color (si no hay colores suficientes, se pueden escribir las iniciales de cada jugador con rotulador). Los participantes se alinean en un lado de la habitación, cada cual con su globo en equilibrio en la palma de la mano.

A una señal del adulto, los niños impulsarán el globo en el aire formando una pinza con el pulgar y el índice de la otra mano. El objetivo es mantener el globo en el aire tanto tiempo como sea posible. Sólo se pueden impulsar pinzando los dedos, nunca golpeándolos con la mano o el puño. Si a un niño se le cae al suelo (o estalla), queda eliminado. El último jugador con el globo en el aire gana la carrera.

Voley-globo

En esta versión del voleibol, los jugadores golpean un globo de un lado a otro de una cuerda.

Jugadores: 6 o más (número par)

Edades: 5 a 10

Lugar: Dentro de casa, en una habitación espaciosa (retira el mobiliario y los objetos que se pueden romper)

Equipo: Globo (lleno de aire, no helio); cuerda de por lo menos 3 m de longitud; dos sillas

«**V**oley-globo» es una versión de interior de un juego clásico y con un reglamento muy simplificado. Se juega, por supuesto, con un globo.

Para instalar la «red», dos niños o ayudantes se colocan sobre dos sillas robustas a una distancia de 2,5 m, sujetando cada uno un extremo de una cuerda. También se puede colgar la cuerda entre dos paredes, en este caso a 1,5-1,8 m de altura. Los demás jugadores forman dos equipos iguales y se sitúan frente a frente en lados opuestos de la red.

El partido empieza cuando uno de los jugadores golpea el globo con la intención de pasarlo por encima de la red desde cualquier posición dentro de su pista. Si no lo consigue, otro jugador del mismo equipo puede golpearlo de nuevo. En realidad, con tal de que ningún jugador lo golpee dos veces seguidas y el globo no caiga al suelo, los miembros de un equipo pueden seguir golpeándolo hasta superar la red.

Cuando lo consiguen, el otro equipo debe devolverlo, también por encima de la red, y antes de que toque el suelo. Los equipos continúan alternándose pasando el globo de un lado a otro de la red e intentando realizar un golpe que el equipo contrario no pueda devolver. El punto termina cuando el globo toca el suelo, pasa por debajo de la red o un jugador lo golpea dos veces seguidas, en cuyo caso el equipo contrario anota 1 punto y sirve. Cada vez que un equipo recupera el servicio, debe poner el globo en juego un jugador diferente.

El primer equipo que alcanza una puntuación predeterminada (por ejemplo, 15) es el ganador.

Soplando

Esta versión se juega igual que «Voley-globo» pero soplando en lugar de golpear. La cuerda se coloca a menor altura y los jugadores se sitúan más cerca de la red. Para poner el globo en juego, un jugador se lo coloca en la palma de la mano, inspira profundamente y sopla. Algunos niños, llevados por la excitación, no dudan en tumbarse de espaldas para impulsarlo hacia arriba si está a punto de tocar el suelo. Los partidos son muy emocionantes. En cualquier caso, es importante hacer muchos intermedios para descansar.

Básquet-globo

En este juego de baloncesto de interior los jugadores intentan «encestar» el globo en el «aro» contrario.

Jugadores: 6 a 10 (número par)

Edades: 6 a 10

Lugar: Dentro de casa, en una habitación espaciosa (retira el mobiliario y los objetos que se pueden romper)

Equipo: Globo (lleno de aire, no helio); 2 hojas grandes de papel; cinta adhesiva

«**B**ásquet-globo» es un juego de anotación de «canastas» que apasiona a los niños a partir de 6 años. Trepidante y emocionante en extremo, se juega golpeando un globo en el aire hacia un «aro» de papel. Se necesita una habitación lo más despejada posible para evitar tropezones y caídas.

Primero se pegan con cinta adhesiva dos hojas grandes de papel en las paredes opuestas de la habitación, a la altura de la cabeza de los jugadores. Serán las canastas, aunque en realidad son más una diana que aros de baloncesto.

A continuación los participantes forman dos equipos iguales y se distribuyen por la habitación.

Para empezar, un jugador de cada equipo se coloca en el centro de la pista para el «salto entre dos». Un niño lanza el globo al aire y los dos jugadores rivales saltan e intentan golpearlo hacia un compañero.

Durante todo el partido, el objetivo de cada equipo es golpear el globo para que toque en el aro contrario. Los miembros de cada equipo se pasan el globo con golpes sucesivos y la intención de avanzar hacia la canasta de sus oponentes. No está permitido sujetar el globo, que debe estar siempre en movimiento. Entretanto, el equipo rival intenta robar el globo en el aire y enviarlo en la dirección opuesta. Si toca el suelo, se devuelve al centro de la pista y se efectúa un nuevo salto entre dos.

Se anota 1 punto cada vez que el globo toca la hoja de papel del equipo contrario. El equipo con más puntos al término de un período de tiempo predeterminado gana el partido.

Manzanas

Este clásico juego de Halloween ofrece remojones y diversión a raudales en cualquier época del año.

Jugadores: 2 o más, y un adulto que prepara el juego y supervisa

Edades: 5 a 12

Lugar: Porche; fuera de casa, en la hierba o pavimento, o dentro, en un pavimento de linóleo o vinilo

Equipo: Manzanas (por lo menos 1 por jugador); tina de lavadero metálica o de plástico; toalla; reloj con segundero (opcional)

«**M**anzanas» es un juego muy tradicional en Halloween, probablemente porque es en esta época del año cuando las manzanas saben más deliciosas, aunque lo cierto es que intentar atraparlas con los dientes es tan divertido que a los niños les trae sin cuidado cuál sea la estación del año. La diversión es la misma. En cualquier caso, este juego es especialmente refrescante en los días calurosos de verano. Pueden participar niños de cualquier edad, siempre que no les moleste mojarse la cara.

Para preparar el juego se llena de agua una tina de lavadero, metálica o de plástico, y se echa un montón de manzanas (por lo menos una por jugador). Como verás, flotan. Con las manos a la espalda, los participantes se turnan intentando «pescar» una manzana valiéndose única y exclusivamente de los dientes. Si hay pocos niños y la tina es lo bastante grande, pueden jugar todos a la vez, lo cual es aún más divertido.

Atrapar una manzana no es fácil. Aunque flotan, se suelen hundir al más mínimo toque. Como bien saben los campeones, es una buena estrategia sumergir toda la cabeza en el agua y luego arrinconar una manzana contra el lateral de la tina para morderla. Tener una toalla a mano es imprescindible.

Si los jugadores juegan juntos, el primero que atrapa una es el ganador, y si se turnan, el que lo consigue en el menor tiempo posible gana. Contrólalo con un cronómetro o reloj con segundero. Aunque el ganador debería recibir un premio especial, en este juego cada cual tiene su recompensa: ¡una manzana, por supuesto!

La patata caliente

En este juego de corro de alta tensión, los jugadores se apresuran a desprenderse de una patata que quema lo suyo.

Jugadores: 6 o más

Edades: 4 a 10

Lugar: Dentro de casa, en una habitación con asiento en el suelo para todos los jugadores (sin objetos que se puedan romper a su alcance) o al aire libre, en la hierba o pavimento

Equipo: Patata, pelota de tenis o bolsita de judías

Esta competición requiere rapidez de reflejos y una buena técnica de lanzamiento y recepción. Se puede usar una patata de verdad (pero sin calentar), una pelota de tenis o una bolsita de judías.

Los participantes se sientan en el suelo formando un círculo, y uno de ellos se coloca en el centro con la patata. El juego empieza cuando el líder cierra los ojos y la arroja a uno de los jugadores, el cual debe lanzarla inmediatamente a otro, y así sucesivamente. El objetivo es deshacerse lo antes posible de la patata como si realmente estuviera al rojo vivo.

En un momento determinado, el jugador que está en el centro, siempre con los ojos cerrados, dice: «¡Caliente!». El pase de la patata se detiene y el jugador que la tiene en sus manos debe abandonar el círculo. La patata regresa al centro y empieza una nueva ronda. Si la patata cae al suelo, el jugador más próximo a ella debe recogerla y ponerla en juego.

Todo continúa igual hasta que todos los niños menos uno han quedado eliminados. El que queda es el ganador.

La patata musical

Esta versión requiere un reproductor de música que se pueda poner en marcha y parar con facilidad, y también un adulto o niño mayor: el disc jockey (DJ). Los participantes se sientan en círculo. Uno de ellos tiene la patata. Cuando el DJ pone la música, empieza la secuencia de pases, y cuando la para, quien la tiene debe abandonar el círculo. El juego continúa hasta que sólo queda un superviviente.

La bolsita de judías

Este juego de diana pone a prueba la puntería de los niños pequeños y más mayorcitos.

Jugadores: 2 o más

Edades: 5 a 12

Lugar: Dentro de casa, en una habitación espaciosa (retira el mobiliario y los objetos que se puedan romper) o al aire libre, en el pavimento

Equipo: Bolsita de judías; papel, rotulador y cinta adhesiva (en casa) o tiza (al aire libre)

En «La bolsita de judías» los jugadores se turnan intentando acertar un objetivo con una bolsita llena de judías. Se puede jugar tanto fuera como dentro de casa, y la diana se puede adaptar a la edad y destreza de los participantes.

Si se juega en casa, la diana se debería dibujar con un rotulador en una hoja grande de papel y luego pegarse en el suelo con cinta adhesiva, y si es al aire libre, se puede marcar en el pavimento con tiza. En cualquier caso, la diana debe ser redonda con o sin círculos concéntricos, como las de tiro con arco, o debe estar dividida en segmentos, a modo de porciones de tarta, como las dianas de dardos. Las secciones deben ser lo bastante grandes como para que quepa una bolsita de judías sin tocar las líneas. Cada sección tiene un valor en puntos, de 5 a 25. Si la diana es de círculos, los números deben aumentar de fuera adentro hasta llegar al centro (máxima puntuación), y si se trata de un diseño en secciones, los valores se pueden distribuir al azar, pero reservando, eso sí, el círculo central para la puntuación máxima.

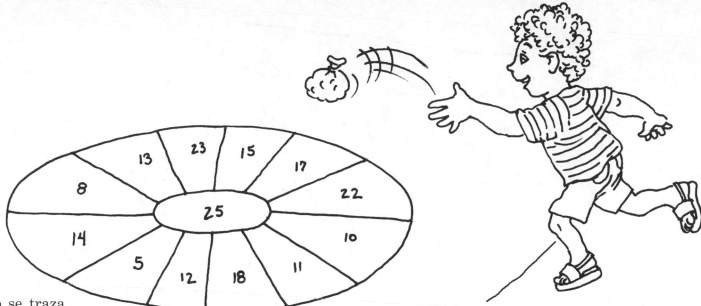

Luego se traza una línea a unos 1,5-2 m del objetivo. Uno a uno, los jugadores lanzan la bolsita hacia la diana desde detrás de la línea. Los puntos sólo se anotan si la bolsita cae limpiamente en una sección (sin tocar ninguna línea).

Hay dos formas de determinar el ganador: el jugador que ha obtenido la mayor puntuación después de un número preestablecido de tiradas o el primero en alcanzar un marcador previamente acordado (por ejemplo, 100).

El queso de Gruyère

Los jugadores compiten lanzando pelotas en los agujeros de un tablero.

Jugadores: 2 o más, y un adulto que prepara el tablero

Edades: 5 a 12

Lugar: Dentro de casa, en una habitación espaciosa, o al aire libre, en la hierba o pavimento

Equipo: Plancha grande de cartón; tijeras o cutter; rotulador; pelota de tenis o bolsita de judías

«El queso de Gruyère» se juega, como su propio nombre indica, con un tablero lleno de agujeros. Desarrolla la puntería y la habilidad de lanzamiento mientras los niños intentan encestar una pelota de tenis en los agujeros. Es más apropiado para una pequeña fiesta, ya que sólo tira un jugador cada vez, lo que significa que los niños tienen que esperar su turno.

Para preparar el juego, hay que confeccionar un «queso de Gruyère» a modo de tablero (véase la ilustración en la página siguiente) con una plancha de cartón. (Un panel lateral de una caja de cartón puede servir.) En el cartón se practican 6-10 agujeros de diferentes tamaños, de tal modo que los más pequeños sean un poquito más grandes que el diámetro de una pelota de tenis. Si se desea confeccionar un tablero más duradero, se puede utilizar madera contrachapada, aunque en este caso el trabajo deberá realizarlo un adulto.

Durante el juego, los participantes intentan encestar una pelota de tenis en los agujeros, anotando puntos dependiendo de su tamaño. Dado que los más grandes son más fáciles de acertar, valen menos puntos que los más pequeños y más difíciles. Así pues, se escribe el valor en puntos junto a cada agujero, empezando con 5 para el más grande e incrementándose de 5 en 5 hasta el más pequeño.

Antes de empezar a jugar, se apoya el tablero en una pared o en la pata de una silla o una mesa. También puede sostenerlo de pie el adulto que supervisa el juego. Los niños se colocan a 2 m del tablero y se turnan lanzando la pelota e intentando anotar la mayor cantidad de puntos en cada tirada. Se suele jugar a tres rondas de tres lanzamientos por jugador, aunque se puede modificar dependiendo del tamaño del grupo y del tiempo disponible. También se

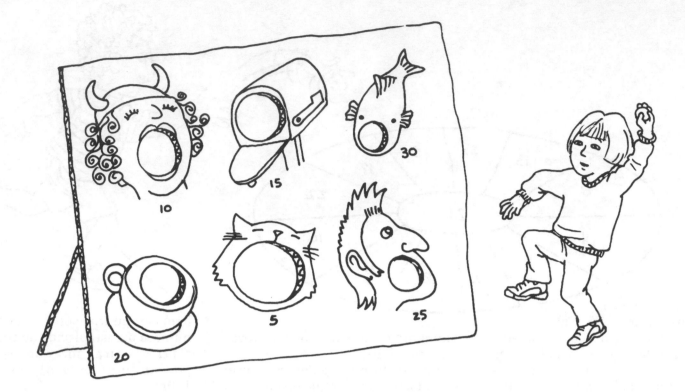

puede jugar hasta que los niños pierdan interés.

Cada jugador lleva la cuenta de su marcador mentalmente o bien anotándolo en una hoja de papel. Quien consigue la mayor puntuación al término del juego es el ganador.

«El queso de Gruyère» también se puede jugar con una bolsita de judías, algo incluso más adecuado para niños muy pequeños, aunque en este caso los agujeros deben ser mucho más grandes.

Lanzamiento de huevos

Los jugadores compiten lanzando un huevo lo más lejos posible sin que se rompa.

Jugadores: 4 o más (número par), y un adulto o niño mayor que da la salida

Edades: 8 a 14

Lugar: Al aire libre, en la hierba o pavimento

Equipo: Huevo crudo para cada pareja de jugadores; ropa vieja para cada jugador (opcional); toalla (opcional)

Este juego combina la técnica, el suspense y un final «explosivo». El «Lanzamiento de huevos» es una clásica competición para niños creciditos a los que les guste lanzar y atrapar un pequeño objeto. Los jugadores de cada equipo se lanzan un huevo crudo hasta que se rompe, un verdadero pringue si te pasa en las manos. Ni que decir tiene que este juego es de exterior.

¡Ni se te ocurra organizarlo en casa! Los niños deberían protegerse las prendas de vestir con ropa vieja o delantales para no tener que preocuparse si se ensucian. También es una buena idea jugar con los pies descalzos y tener a mano una toalla.

Los participantes forman parejas y se colocan en dos filas, frente a frente y separadas 1 m. Cada jugador debe tener enfrente a su compañero de equipo. Ahora, los jugadores de una fila reciben un huevo cada uno.

A una señal, los niños lanzan el huevo a su pareja, que debe atraparlo con las manos. El objetivo de la pareja es, ante todo, que no se caiga, lo cual requiere no sólo coordinación, sino también una extremada delicadeza en la recepción. En este juego, la torpeza se paga muy cara. Después de la primera recepción, el compañero de equipo da un paso atrás y devuelve el huevo al lanzador original. Este intercambio continúa lanzando, atrapando, dando un paso atrás y lanzando de nuevo. Cuando a una pareja se le cae el huevo, se le rompe en las manos, en la cabeza o en cualquier otra parte del cuerpo, queda automáticamente eliminada de la competición.

La última pareja que queda en juego con el huevo intacto gana. En cualquier caso, deberán seguir lanzando el huevo, ampliando un poco la distancia en cada tirada, para comprobar cuánto son capaces de alejarse antes de que se rompa.

Globos de agua

Basado en el mismo principio que el «Lanzamiento de huevos», en este juego se sustituyen los huevos por globos de agua. Las parejas se lanzan los globos, un pasito más lejos cada vez, hasta que estallan. Es ideal para un día caluroso de verano y con los niños en bañador. También se puede organizar después del «Lanzamiento de huevos» para limpiarse.

Pescar la botella

En este juego de destreza, los jugadores compiten para atrapar «peces-botella».

Jugadores: 2 o más, y un adulto o niño mayor que da la salida

Edades: 6 a 10

Lugar: Dentro de casa, en un pavimento sin moqueta (retira los objetos que se pueden romper)

Equipo: Botella de plástico, hilo de 1 m de longitud y arandela de goma de 2,5 cm de diámetro para cada jugador

«Pescar la botella» es una competición que de buen seguro mantendrá ocupados a los niños durante un buen rato. El objetivo consiste en ensartar una botella por el cuello con un «sedal» confeccionado con un hilo y una arandela de goma.

Los sedales se deben preparar con antelación, atando un hilo de 1 m de longitud a una arandela de goma (las encontrarás en las ferreterías). El diámetro de las arandelas debe ser lo bastante grande como para poder ajustarse fácilmente al cuello de una botella de plástico estándar (alrededor de 2,5 cm). Se distribuyen los sedales entre los jugadores, que se colocan en fila, cada uno con una botella de plástico vacía (¡de

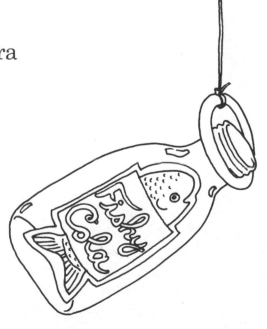

cristal no, por favor!) en el suelo junto a los pies.

A una señal, los participantes intentan «pescar» una botella ensartando la arandela en el cuello de ésta y tirando del hilo para izarla hasta la cintura. Es realmente difícil, ya que las botellas de plástico son muy ligeras y se empeñan en rodar y dar vueltas al menor contacto.

Los niños deben permanecer de pie durante todo el juego. El primero que pesca una botella es el ganador.

Juegos de agua

L os juegos de este capítulo tienen un factor en común: el agua es imprescindible. Los juegos de agua son muy divertidos en verano para niños de todas las edades, nadadores o no. Algunos animan a los más pequeñines a «mojarse los pies» y perder el miedo al agua, mientras que otros ofrecen la oportunidad a los nadadores más expertos de pavonearse ante los demás. Tanto si se trata de una carrera, una persecución o un juego inspirado en algún deporte, el mero hecho de desarrollarse en un elemento diferente, el agua, introduce nuevos retos y sensaciones, ¡y además refresca! Estas actividades están diseñadas para la piscina, aunque nada impide jugar en la parte que no cubre de un lago o estanque. Aun así, y a pesar de lo divertidos y emocionantes que son los juegos acuáticos, la prudencia es esencial. Es importante que siempre haya un adulto supervisándolos y con conocimientos de primeros auxilios.

«No» seguir al rey

En esta versión de «Seguir al rey» gana el nadador con la imaginación más desbordante.

Jugadores: 2 o más, y un adulto que supervisa

Edades: 5 a 12

Lugar: Piscina

Equipo: Ninguno

Este juego desafía a los participantes a imaginar y demostrar una amplia variedad de alternativas a la hora de cruzar una piscina. Se juega en la parte de la piscina que no cubre y anima a los niños pequeños a perder el miedo al agua y a disfrutar de ella.

Los jugadores se meten en el agua y se alinean en el lado de la piscina que no cubre. Luego se elige uno al azar, que cruza la piscina con el «estilo» que prefiera. Si sabe nadar, puede optar por cualquier técnica básica, como por ejemplo crawl, espalda, braza o mariposa, o bien caminar, saltar de puntillas, nadando al estilo perrito, chapoteando, etc. Las posibilidades son interminables. A continuación, el siguiente jugador debe elegir un método diferente para cruzar la piscina, y así sucesivamente todos los niños de la fila.

El objetivo es no repetir el estilo de cualquiera de los jugadores anteriores. El juego continúa hasta que la imaginación se agote.

El jugador al que no se le ocurra ningún método nuevo queda eliminado, y el último en cruzar la piscina con un movimiento original es el ganador.

Seguir al rey en el agua

En esta versión remojada del clásico juego «Seguir al rey», los jugadores imitan las acciones del líder.

Jugadores: 3 o más, y un adulto que supervisa

Edades: 5 a 10

Lugar: Piscina

Equipo: Ninguno

«Seguir al rey» es un juego dinámico que permite a los niños usar la imaginación tanto si se juega en el agua como fuera de ella. Dado que los participantes deben imitar las acciones del líder («Rey»), hay que asegurarse de que éste no complique demasiado los movimientos en la piscina para que incluso los más pequeñines puedan divertirse. En cualquier caso, los que no saben nadar pueden disfrutar igual de este juego en la parte de la piscina que no cubre.

Primero se elige un jugador para que sea el Rey, y los demás forman una fila detrás. El Rey empieza a moverse en el agua como se le antoje, realizando diferentes movimientos con los brazos, las piernas, las manos, los pies y la cara. Todo vale. Si los demás niños saben nadar, puede dar brazadas, hacer volteretas, caminar con las manos, hacer burbujas o flotar de espalda. También puede salir de la piscina y zambullirse de nuevo. (Alrededor de las piscinas no hay que correr; es muy resbaladizo.)

En este juego no hay ganadores ni perdedores. Transcurrido un período de tiempo predeterminado, el Rey se coloca el último de la fila y el jugador siguiente se convierte en el nuevo Rey. El juego continúa hasta que todos han sido el Rey.

¡Quietos!

En este juego, los nadadores intentan cruzar la piscina sin ser sorprendidos.

Jugadores: 4 o más, y un adulto que supervisa

Edades: 6 a 12

Lugar: Piscina

Equipo: Ninguno

El nadador más rápido no es siempre el ganador en esta carrera. Y esto es así porque la habilidad para detenerse bruscamente y permanecer completamente inmóvil es tan importante como la velocidad. Sin duda alguna, «¡Quietos!» es muchísimo más emocionante si lo juegan buenos nadadores en la parte de la piscina que cubre, pero los niños que no sepan nadar también pueden divertirse donde no cubre.

Primero se designa quien «para», que se coloca en un lado largo de la piscina, mientras los demás se sitúan, alineados, en el otro lado. El que «para» cierra los ojos y empieza a contar hasta diez en voz alta. Entretanto, los jugadores empiezan a nadar hacia él (si están en la zona que no cubre, pueden caminar, correr o saltar). A la cuenta de diez, el que «para» dice: «¡Quietos!» y abre los ojos. Inmediatamente todos los demás participantes deben quedar inmóviles. Si sorprende a uno avanzando, el infractor debe regresar a la línea de salida. A continuación, el jugador que «para» vuelve a cerrar los ojos y a contar. El juego continúa hasta que un niño consigue llegar al otro lado de la piscina. Si se considera demasiado fácil cruzarla a la cuenta de diez, se puede reducir a cinco.

Tiburones y pececillos

En este juego de persecución, los «pececillos» intentan evitar caer en las fauces del «tiburón».

Jugadores: 5 o más, y un adulto que supervisa

Edades: 6 a 12

Lugar: Piscina

Equipo: Ninguno

«Tiburones y pececillos» es un juego de agua que combina elementos de persecución y de «El rey de la colina». Se elige un jugador: el «tiburón». Los demás son los pececillos, que se alinean en el agua al otro lado de la piscina. El tiburón se coloca en medio y los invita a cruzar a nado. A su señal, los pececillos deben intentar cruzar un «océano» infestado de escualos y alcanzar la otra «orilla» sin ser capturados. Quienes lo consiguen, se alinean en el otro lado de la piscina preparados para la siguiente ronda, y los que no han tenido tanta fortuna, se convierten en nuevos tiburones que se unen al primero en su tarea de atrapar a los supervivientes. El último pececillo es el ganador y se convierte en el tiburón en la siguiente ronda.

El pescador

En esta versión, se designa a un jugador como el «pescador». Los demás son «peces». El pescador se coloca en medio de la piscina mientras que los peces se alinean en un lado. El juego se inicia cuando el pescador grita: «¡Vamos a pescar!». A esta señal, todos los peces deben intentar cruzar a nado la piscina sin ser atrapados, al tiempo que el pescador los persigue con la intención de llevarse al «cesto» el mayor número posible de capturas. Los jugadores capturados se unen al pescador en la siguiente ronda.

Cuando hay dos o más niños capturados en medio de la piscina, pueden tomarse de las manos y formar una «red». El pescador continúa nadando de aquí para allá, persiguiendo a los peces, mientras los que forman la red intentan cerrarles el paso para que el pescador pueda capturarlos más fácilmente.

La ballena y los arenques

En este juego de carrera y persecución, el «arenque» se las ingenia para eludir a la gran «ballena».

Jugadores: 5 o más, y un adulto que supervisa

Edades: 6 a 10

Lugar: Piscina

Equipo: Ninguno

«**L**a ballena y los arenques» es un juego acuático de persecución con una característica diferencial: aquí, «los arenques» deben nadar pegaditos mientras intentan eludir a la «ballena».

Se elige un jugador para que sea la ballena y se coloca en uno de los lados de la piscina, mientras los demás participantes, los arenques, se alinean en el lado opuesto, uno detrás de otro, con las manos apoyadas en los hombros del jugador que va delante y con un brazo apoyado en la pared de la piscina. El juego se inicia cuando la ballena empieza a perseguir la fila de arenques intentando atrapar al último. Entretanto, los arenques se separan de la pared de la piscina e intentan evitar a la ballena girando y serpenteando, pero sin soltarse. Al final, la ballena siempre acaba alcanzando su objetivo.

Cuando la ballena captura al desdichado arenque, se une a la fila, y el jugador que va en cabeza se convierte en la nueva ballena. El juego continúa hasta que todos han tenido la oportunidad de ser la ballena por lo menos una vez. En este juego no hay ganadores ni perdedores.

La ballena blanca

En este juego de persecución, la «ballena blanca» toma por sorpresa a los bañistas.

Jugadores: 4 o más, y un adulto que supervisa

Edades: 6 a 12

Lugar: Piscina

Equipo: Ninguno

«**L**a ballena blanca» es un emocionante juego infantil presidido por el elemento sorpresa. Los nadadores rodean a una «ballena negra» sin saber cuándo se convertirá en una feroz «ballena blanca» e irá tras ellos. Los niños que no sepan nadar pueden jugar en la parte de la piscina que no cubre, aunque es mucho más divertido cuando los «bañistas» tienen que nadar para salvar la vida.

Primero se elige un jugador, que será la ballena y se situará flotando en medio de la piscina. Los demás formarán un círculo a su alrededor, a 1 m de distancia. Al principio, la escena parece de lo más pacífica, pero lo cierto es que la ballena está esperando el momento oportuno para lanzarse al ataque. Cuando está preparada, grita: «¡Ballena a la vista!» y empieza a nadar hacia más jugadores, que intentan escapar lo más deprisa posible hacia los bordes de la piscina. El primer bañista atrapado antes de llegar se convierte en la ballena en la siguiente ronda del juego.

Si todos consiguen ponerse a salvo sin ser capturados, la ballena regresa al centro y grita: «¡Ballena negra!», invitando a los bañistas a aproximarse a ella; éstos deberán alejarse por lo menos un par de metros del borde de la piscina.

Marco Polo

En esta persecución a ciegas, Marco acecha a su presa valiéndose única y exclusivamente del oído.

Jugadores: 3 o más, y un adulto que supervisa

Edades: 6 a 14

Lugar: Piscina

Equipo: Ninguno

«Marco Polo», llamado así, por alguna razón, en honor del famoso explorador italiano del siglo XV, tal vez sea el juego acuático más conocido y más popular. El jugador que «para» debe tener los ojos cerrados mientras nada de un lado a otro en busca de una presa valiéndose únicamente del oído. Es un juego muy rápido, emocionante, divertido y bullicioso. Al igual que en todos los juegos acuáticos de persecución, los buenos nadadores pueden jugar en la parte de la piscina que cubre, y los demás en la que no cubre. Dado que nuestro amigo Marco tiene los ojos cerrados, los demás participantes y el supervisor deben asegurarse de que no se golpee contra los bordes de la piscina.

Los jugadores se distribuyen por la piscina, y el que ha sido elegido como Marco cierra los ojos (si los entreabre, el juego pierde todo su interés). Mientras los demás se dispersan, Marco empieza a acecharlos a ciegas. Puede chapotear con la esperanza de atrapar a alguien por casualidad, pero para que su misión sea más fácil, puede, cuando lo desee, gritar: «¡Marco!», y los nadadores, cualquiera que sea su posición (excepto si están sumergidos y no pueden oírlo), deben responder en voz alta «¡Polo!». Marco tiene ahora la oportunidad de guiarse por su voz. Sin embargo, sus víctimas potenciales no tienen por qué permanecer inmóviles, sino que pueden nadar rápidamente para mantenerse fuera de su alcance.

Aunque los jugadores deben responder a la llamada de Marco, también pueden gritar «¡Polo!» en el momento menos pensado para confundirlo. Un buen truco consiste en gritar «¡Polo!» varias veces seguidas y luego emprender la huída cuando Marco empiece a perseguirlos.

En este juego no está permitido salir de la piscina. Hay otra versión en la que los participantes pueden salir y entrar de nuevo a su antojo. Sin embargo, si el Marco «ciego» sospecha que alguien ha salido de la piscina, puede gritar: «¡Pez fuera del agua!» y abrir los ojos. Un pez «seco» se considera capturado.

Los jugadores atrapados quedan eliminados, y el último superviviente es el ganador y se convierte en el siguiente Marco.

Persecución subacuática

En este juego de persecución hay que tener buenos pulmones; quien está bajo el agua, está a salvo.

Jugadores: 4 o más, y un adulto que supervisa

Edades: 6 a 14 (se requiere como mínimo un nivel básico de natación)

Lugar: Piscina

Equipo: Ninguno

«Persecución subacuática» es un clásico juego de persecución con una característica especial: mientras los jugadores están sumergidos, no pueden ser atrapados. La supervisión del adulto es indispensable, ya que en ocasiones los niños sobrevaloran su capacidad de contener la respiración.

Primero se elige un jugador para que «pare» (el perseguidor), mientras los demás se distribuyen por la piscina lo más lejos posible de aquél. Cuando todos están preparados, el que «para» da una señal y empieza la persecución. Los nadadores pueden optar por escapar nadando o, si ya está muy cerca, sumergir la cabeza debajo del agua y acelerar el desplazamiento a nado. No obstante, un perseguidor astuto seguirá acechando a un nadador sumergido o lo perseguirá si pretende escapar nadando esperando el momento en que salga de nuevo a la superficie.

Los jugadores atrapados quedan eliminados del juego, y el último participante sin atrapar es el ganador y el nuevo perseguidor. También se puede acordar que cualquier jugador atrapado se convierta inmediatamente en perseguidor.

La cuerda acuática

En este juego de persecución, al que se juega con una cuerda de por lo menos 1,5 m de longitud, todos son perseguidores menos uno, el perseguido, que se ata la cuerda a la cintura, dejando una cola de 60-90 cm. A la señal de «¡Preparados, listos, ya!» el perseguido empieza a nadar mientras los demás van tras él. Los perseguidores intentarán atrapar la cola de la cuerda, ya que no pueden tocar el cuerpo del perseguido. El que lo consigue se convierte en el nuevo perseguido.

Carrera en el túnel

Esta carrera pone a prueba la velocidad de los nadadores bajo el agua.

Jugadores: 6 a 10 (número par), y un adulto que supervisa

Edades: 6 a 12 (se requiere como mínimo un nivel básico de natación)

Lugar: Piscina

Equipo: Ninguno

La «Carrera en el túnel» es una forma muy divertida de practicar la natación subacuática.

Los jugadores forman dos equipos iguales de 3 a 5 jugadores.

Cada equipo se pone en fila, dejando 1 m de separación entre cada uno de

sus miembros, en la zona de la piscina en la que el agua llega hasta el pecho, y separan las piernas formando una especie de túnel subacuático. Las dos líneas de jugadores deben estar como mínimo a 1,5 m de distancia, dejando por lo menos 5 m de distancia entre el último jugador de cada línea y el borde de la piscina.

A una señal del supervisor, el primer jugador de cada equipo se vuelve hacia sus compañeros, se sumerge y nada a través del «túnel» de piernas. Cuando llega al final, se queda como último de la línea. La carrera continúa, y cada jugador, por el orden que ocupa en la línea, se sumerge y nada hasta el final del túnel.

El juego termina cuando todos los miembros de los dos equipos han cruzado el túnel. El equipo más rápido gana la carrera.

Carrera acuática de relevos

Esta carrera multiparticipantes es una competición de velocidad y trabajo en equipo en el agua.

Jugadores: 6 o más (divisible en equipos iguales), y un adulto que supervisa

Edades: 6 a 14 (sólo buenos nadadores)

Lugar: Piscina

Equipo: Ninguno

Para un típico relevo en el agua, los competidores forman equipos iguales de por lo menos tres jugadores y designan un capitán. Los miembros de cada equipo se ponen en fila detrás del capitán en la parte más profunda de la piscina. Cuando todos están en posición, el adulto que supervisa la carrera dice: «¡Preparados, listos, ya!». El capitán de cada equipo se zambulle en el agua, nada hasta el otro extremo de la piscina, toca la pared y regresa hasta la pared de salida. Tan pronto como la ha tocado, se zambulle el siguiente nadador y repite todo el proceso. El primer equipo cuyos miembros completan el recorrido es el ganador.

En un relevo acuático clásico, hay que nadar en un estilo determinado, como por ejemplo crawl, espalda, braza o mariposa, que se selecciona antes de la carrera. Pero en este caso, cada na-

dador puede usar el que prefiera. Por si no lo sabías, en los 4×200 m y 4×400 m estilos los equipos están formados por cuatro nadadores, y cada uno nada en un estilo diferente: el primero, espalda; el segundo, braza; el tercero, mariposa; y el cuarto, crawl.

Paraguas

En esta carrera cada equipo necesita un paraguas, a ser posible sin puntas que sobresalgan. Los paraguas se colocan (cerrados) en el borde más alejado de la piscina, uno frente a cada equipo. Para empezar, los equipos forman filas en la parte de la piscina que no cubre, y a la señal de «¡Preparados, listos, ya!», el primer competidor de cada equipo cruza la piscina, con el estilo que prefiera, y alcanza el paraguas. Luego lo abre y regresa hasta la salida sosteniéndolo fuera

del agua, por encima de la cabeza. Al llegar, se lo entrega al siguiente nadador, que cruza la piscina con el paraguas abierto. Al llegar lo cierra, lo deja en el borde de la piscina y regresa nadando hasta la salida. Al tocar la pared, el siguiente jugador se zambulle y cruza de nuevo la piscina hasta alcanzarlo. Y así sucesivamente hasta completar la fila.

Hula hoop

Esta versión de relevos requiere un hula hoop, una cuerda (de una longitud equivalente a la mitad de la profundidad del centro de la piscina) y una piedra grande o ladrillo para cada equipo. Un extremo de la cuerda se ata al hula hoop y el otro a la piedra. Luego los hula hoops se colocan en el centro de la piscina, donde flotan anclados con las piedras. Los equipos forman filas en la parte de la piscina que no cubre, y a la señal de «¡Preparados, listos, ya!», el primer jugador de cada equipo nada hasta el hula hoop de su equipo, pasa a través de él y luego regresa hasta la salida. Al tocar la pared, se zambulle el siguiente nadador, y así sucesivamente hasta completar la fila.

Globo

En esta versión cada equipo juega con un globo. Los equipos forman filas en la parte de la piscina que no cubre, se inflan los globos y se sueltan de tal modo que cada globo quede frente al primer nadador de cada equipo. Durante la carrera, los nadadores deben cruzar la piscina empujándolo con la cabeza y luego de vuelta hasta la salida. No está permitido usar las manos para controlar el movimiento irregular del globo.

Guijarro

Cada jugador tiene tres guijarros. Los nadadores forman filas en la parte de la piscina que no cubre, y a la señal de «¡Preparados, listos, ya!», el primer miembro de cada equipo debe nadar hasta el extremo opuesto con los guijarros en equilibrio en el dorso de la mano. Lógicamente, el estilo más adecuado para conseguirlo es nadando en lateral, impulsándose con una mano y manteniendo la otra plana fuera del agua con los guijarros en equilibrio. Si uno se cae, el nadador debe bucear, recuperarlo y reanudar la carrera.

Balón de playa

Cada equipo necesita un balón de playa. Empezando en la parte de la piscina que no cubre, los nadadores deben cubrir la longitud de la misma y regresar con un balón de pla-

ya sujeto entre las rodillas. Esto, como es natural, impide mover las piernas, con lo cual no queda otro remedio que recurrir al aleteo al más puro estilo delfín. Si el balón se escapa, el nadador debe recuperarlo, colocarlo de nuevo entre las rodillas y reanudar la carrera. Sólo se pueden usar las manos para poner de nuevo el balón en su sitio y para entregarlo a un compañero de equipo.

Sudadera

En esta versión de relevos cada equipo necesita una sudadera. Con los equipos en fila en la parte de la piscina que cubre, fuera del agua, el primer nadador de cada equipo se

pone la sudadera, y a la señal de «¡Preparados, listos, ya!», se zambulle, cruza la piscina y regresa. Al llegar, sale de la piscina, se quita la sudadera y se la da al siguiente nadador, que deberá enfundársela y zambullirse.

Patata

Cada equipo tiene una patata y una cuchara. La carrera empieza en la parte de la piscina que no cubre. El objetivo es cruzar la piscina y regresar sosteniendo con una mano la cuchara con la patata en equilibrio. Si se cae, el nadador debe sumergirse, recuperarla y reanudar la carrera.

Salto y distancia

En esta competición, zambullirse limpiamente supone llegar más lejos.

Jugadores: 2, y un adulto que supervisa

Edades: 8 a 14 (sólo para buenos nadadores)

Lugar: Piscina de por lo menos 2,5 m de profundidad en un extremo

Equipo: Ninguno

«Salto y distancia» es una competición que mide la distancia que es capaz de cubrir un nadador después del salto y su capacidad de contener la respiración. Esta actividad sólo deben practicarla los buenos nadadores. Asimismo, antes de empezar, hay que asegurarse de que no haya nadie más en la piscina.

Los nadadores forman una fila en la parte de la piscina que cubre y saltan por turnos (¡cuidado!: ¡no hay que zambullirse nunca en una

piscina de menos de 2,5 m de profundidad!). Después del salto, el nadador se desliza bajo el agua y nada con los brazos estirados al frente, y nada tanto como puede antes de salir finalmente a la superficie para respirar. Los brazos y las piernas deben estar rectos durante toda la inmersión. El objetivo es realizar una inmersión larga y a poca profundidad.

Cuando el nadador sale por fin a la superficie, se mide la distancia has-

ta la punta de los dedos. El competidor que recorre la mayor distancia gana la prueba.

La bomba

En lugar de competir por la distancia más larga en inmersión, los participantes en esta competición deben conseguir la salpicadura más espectacular al zambullirse en el agua. Los jugadores se turnan simulando «bombas» en la parte de la piscina que cubre, saltando desde un trampolín o desde el borde de la piscina con las rodillas flexionadas contra el pecho. El «estallido» más estruendoso a juicio del supervisor es el ganador.

El tesoro

En esta carrera, los jugadores se sumergen para recuperar un tesoro hundido.

> **Jugadores:** 6, y un adulto que supervisa
>
> **Edades:** 8 a 14 (sólo para buenos nadadores)
>
> **Lugar:** Piscina
>
> **Equipo:** Objeto pequeño y brillante que no flote (moneda, canica grande, tapón de botella, piedra pintada, etc.); cronómetro o reloj con segundero; lápiz y papel para anotar los registros (opcional)

«**E**l tesoro» es una emocionante carrera que requiere una buena técnica de inmersión, poder de observación y habilidad para contener la respiración.

Los jugadores pueden competir individualmente o formar equipos iguales. El adulto que supervisa la prueba arroja un «tesoro» al agua, cualquier objeto que no flote y que sea lo bastante brillante como para distinguirse fácilmente. A una señal del supervisor, el primer jugador se zambulle en el agua y se sumerge para recuperar el tesoro. Entretanto, el supervisor cronometra el tiempo transcurrido hasta que sale a la superficie con el tesoro en la mano.

Cada jugador se turna zambulléndose en el agua y sumergiéndose. Los nadadores pueden salir a la superficie cuantas veces quieran para respirar y sumergirse de nuevo, pero si no han conseguido recuperar el tesoro en 2 minutos, éste será su registro oficial.

Si se juega individualmente, el jugador con el menor registro es el ganador, y si se juega por equipos, se suman los tiempos de todos los miembros de cada equipo, y aquel que haya invertido menos tiempo gana la prueba.

Waterpolo

En este furioso juego de pases, la intercepción es la clave. Es un excelente entrenamiento para el waterpolo estándar.

> **Jugadores:** 3 o más, y un adulto que supervisa
>
> **Edades:** 7 a 14
>
> **Lugar:** Piscina
>
> **Equipo:** Balón de playa

«**W**aterpolo» es un juego de acción que se puede practicar en la piscina o en la playa. En realidad, el mar o un lago son ideales, ya que no se necesitan límites ni líneas de salida o llegada. Aunque no hace falta ser un nadador experto, puesto que se juega en aguas poco profundas, los jugadores deben evitar comportamientos violentos al saltar sobre otros jugadores para interceptar la pelota.

Un jugador tiene la pelota y los demás se dispersan en el área de juego (donde el agua no cubre). A continuación se elige a otro jugador para que «pare» (el interceptor). Los niños empiezan a lanzar y atrapar la pelota, pasándosela de unos a otros e intentando que quien «para» no la intercepte. Asimismo deben procurar que no los toque, mientras tienen la pelota en su poder. Si no es para tocar a un jugador, el contacto físico está prohibido. No se puede arrebatar la pelota de las manos de otro jugador; sólo se puede interceptar en el aire o cuando está flotando en el agua.

Cuando quien «para» toca al jugador que tiene la pelota o intercepta un pase después de un mal lanzamiento, éste sustituye al interceptor (que será el que «para») en la siguiente ronda.

Pelotas envenenadas

Este juego es similar al de «La patata caliente» pero en la piscina.

Jugadores: 6 o más (número par), y un adulto que supervisa

Edades: 7 a 13

Lugar: Piscina

Equipo: 12 o más pelotas que floten (pelotas de tenis, de espuma, de ping-pong, balones de playa); cuerda de una piscina de longitud (a lo largo); cuerda de una piscina de longitud (a lo ancho), para no nadadores

«Pelotas envenenadas» es una carrera alocada en la que cada equipo intenta bombardear el «territorio enemigo» con pelotas «envenenadas».

Primero se tiende una cuerda a lo largo de la piscina para dividir, a modo de «red», los dos territorios. Para los niños que no sepan nadar, se divide la piscina a lo ancho, restringiendo el área de juego a la parte que no cubre. Luego los jugadores forman dos equipos iguales, que se colocan en lados opuestos de la red. A continuación se arroja al agua un mínimo de doce pelotas, la mitad en cada territorio.

A una señal del supervisor, todos los jugadores lanzan pelotas hacia el otro lado. A medida que van cayendo, los equipos se apresuran a recogerlas y devolverlas. El objetivo de cada equipo es deshacerse del mayor número posible de pelotas. Si una pelota sale fuera de la piscina, quien la ha lanzado debe ir a buscarla. Una vez en su poder, no puede lanzarla de nuevo hasta que se haya zambullido en el agua en su propio territorio.

El equipo que se queda sin pelotas en su lado de la red es el ganador. Como el partido podría prolongarse demasiado, se puede acordar un período de tiempo de 5-10 minutos. Una vez transcurrido, el supervisor señala el final del encuentro, y el equipo que tiene menos pelotas en su territorio gana. Después de un descanso, los equipos pueden intercambiar posiciones y disputar otra ronda.

Waterball

Los receptores más veloces tienen ventaja en este bullicioso juego de lanzar y atrapar.

Jugadores: 6 o más, y un adulto que supervisa

Edades: 7 a 13

Lugar: Piscina

Equipo: Pelota de tenis

«Waterball» es un juego extraordinario para fiestas infantiles en las que se pueda disponer de una piscina, ya que cuanto mayor es el grupo, más trepidante es la acción.

Los jugadores forman dos grupos que no tienen por qué ser necesariamente iguales, ya que los grupos no son equipos. Los dos grupos se alinean a lo ancho, uno a cada lado de la piscina. Entre jugador y jugador debe mediar una distancia mínima de 1 m.

El juego empieza cuando un jugador de un grupo lanza la pelota de un lado a otro a la piscina y nombra a alguien del otro grupo. Si éste consigue atraparla antes de que caiga en el agua, lanzador y receptor anotan 1 punto. Desde luego, no es fácil, puesto que los demás participantes de su grupo intentarán interceptar la pelota. El jugador que lo consigue anota 1 punto.

Después de cada lanzamiento, los jugadores regresan a su posición inicial contra las paredes de la piscina. Si nadie ha atrapado la pelota, se devuelve al lanzador original y el juego se reanuda con un nuevo lanzamiento. El juego continúa lo más rápido posible y cada lanzador nombra a alguien del grupo contrario mientras le lanza la pelota. A medida que se van acumulando puntos, y en aras del *fairplay*, los jugadores con mayor puntuación deberían dirigir los lanzamientos hacia los menos afortunados con la esperanza de que intercepten la pelota y devolver así el favor.

El primero en anotar 25 puntos gana el juego.

Béisbol acuático

«Béisbol acuático» es una versión frenética y pasada por agua de aquel deporte tan popular.

Jugadores: 8 o más (número par), y un adulto que supervisa

Edades: 8 a 14 (sólo para buenos nadadores)

Lugar: Piscina

Equipo: Balón de playa o de voleibol (o pelota más pequeña para los jugadores expertos); toallas u objetos similares para marcar las bases

«Béisbol acuático» se basa en la versión original del béisbol, aunque con un reglamento mucho más reducido. No se usa bate, y los jugadores no tienen que desplazarse de base en base en línea recta; pueden sumergirse para evitar ser capturados. Dado que se utiliza toda la piscina, los jugadores deben ser muy buenos nadadores. Se juega mejor con un balón de playa o de voleibol, aunque los jugadores expertos tal vez prefieran una pelota de tenis o una pelota pequeña de goma.

Antes de jugar, se delimita el «diamante» (campo). La «home» se sitúa en el centro del borde de la piscina en la parte que no cubre; la primera base en el centro de un borde situado en el lado largo; la segunda en el centro del borde de la piscina en la parte que cubre; y la cuarta, en el centro del lado largo restante. Las bases se pueden marcar con toallas u objetos similares.

Los jugadores forman dos equipos iguales: uno se sitúa «en el campo», con uno de sus miembros como *pitcher*. Si los equipos están formados por pocos jugadores, el equipo contrario puede proporcionar el *pitcher*, que se coloca en aguas profundas a

alrededor de 1 m frente a la «home», mientras otro jugador debe estar cerca de la primera base y los demás se dispersan por la piscina.

El otro equipo está «al bate». Los jugadores se numeran o eligen un capitán para que se encargue de hacerlo. Con los demás jugadores sentados en el borde de la parte que no cubre, el primer bateador se mete en el agua, frente a la «home», y el *pitcher* le lanza la pelota. El bateador puede esperar un lanzamiento que le parezca fácil de devolver, aunque sólo tiene una oportunidad para intentar golpear la bola. Tiene que hacerlo con el puño o la palma de la mano. Si falla o la envía fuera de la piscina, queda eliminado y se une a sus compañeros de equipo fuera de la piscina.

Pero si batea bien, al frente y dentro de la piscina, se considera «bola libre», en cuyo caso nadará hacia la primera base. Si un jugador del equipo rival atrapa la pelota antes de que caiga al agua, queda eliminado. En caso contrario, los jugadores de campo deben apresurarse a recogerla e intentar eliminar al «corredor» antes de que alcance la primera base. Pueden hacerlo de una de estas dos formas: lanzando la pelota al jugador de la primera

base o tocando al «corredor» con la pelota (lanzársela no está permitido).

Un «corredor» sólo puede ser atrapado cuando está en la superficie. Un jugador de campo astuto puede bloquear el progreso de un «corredor» que se ha sumergido hasta obligarlo a salir a respirar. Cuanto mayor sea la capacidad del «corredor» para contener la respiración, mayores serán sus posibilidades de rodearlo o pasar por debajo de sus piernas y alcanzar la base.

Dependiendo de la distancia a la que el bateador ha enviado la pelota, puede seguir nadando de base en base, deteniéndose en una de ellas cuando crea que no será capaz de llegar a la siguiente sin ser atrapado. En este caso, permanecerá en la base y reanudará la carrera cuando el siguiente bateador haya golpeado la bola. Cuando un jugador completa todas las bases, anota una «carrera».

Los jugadores siguen bateando hasta que haya tres eliminaciones. Ahora los equipos intercambian sus posiciones. Cuando cada equipo ha tenido su turno bateando y en el campo, se completa una «entrada». Los partidos se suelen disputar a cinco entradas. El equipo que ha anotado más al finalizar el juego es el ganador.

Jugador al bate

En esta versión de «Béisbol acuático» sólo hay dos bases: la «home» y otra situada en el extremo opuesto de la piscina. Se puede jugar con sólo cuatro jugadores, que anotan individualmente en lugar de por equipos. Uno está al bate y los demás en el campo, uno de los cuales es el *pitcher*. Tras haber golpeado la pelota, el bateador intenta nadar hasta la base del extremo opuesto de la piscina sin ser atrapado. Si lo logra, anota una carrera, regresa a la «home» y batea de nuevo. Si no, intercambia su posición al bate con un jugador de campo. El que anota más entradas después de que todos hayan bateado un número determinado de veces es el ganador.

Baloncesto acuático

El baloncesto acuático es ideal para jugar en la piscina.

Jugadores: 2 a 10 (número par) y un adulto que supervisa

Edad: 9 a 14 (sólo los buenos nadadores deben jugar en la parte de la piscina que cubre)

Lugar: Piscina

Equipo: Canasta de baloncesto acuático

Para jugar al baloncesto acuático se necesita una canasta acuática, que puedes comprar en cualquier juguetería o tienda de artículos para piscina. La canasta se fija en el borde de la piscina y el aro queda a unos 1,2-1,5 m sobre el agua.

Dada la dificultad (o mejor, ¡imposibilidad!) de marcar en el agua líneas que delimiten la cancha, el baloncesto acuático es un juego mucho más libre que su homólogo en «tierra firme».

Se pueden comprar dos canastas y colocar una en cada extremo de la piscina para disponer de una pista de baloncesto completa, aunque lo más habitual es la versión de media pista, donde cubre o no cubre. Evidentemente, la versión donde el agua cubre es mucho más difícil y agotadora, y sólo deben practicarla los niños que saben nadar bien. Las reglas que se describen a continuación son para juego de equipo, pero se pueden modificar fácilmente para partidos de uno contra uno.

Para un juego a media cancha, los jugadores se dividen en dos equipos iguales. Al empezar juego un equipo tiene el balón a 5 m de la canasta. El objetivo es anotar puntos lanzándolo y encestando mientras que el equipo rival intenta evitarlo. Se puede lanzar desde cualquier lugar de la piscina y cada canasta vale 2 puntos.

Mientras los jugadores buscan una oportunidad para efectuar un lanzamiento, los miembros del mismo equipo se pueden pasar el balón, pero quien lo tiene no se puede mover. Si lo hace, entonces hace «pasos» y el balón pasa al otro equipo, que iniciará el ataque desde los 5 m (esta regla no se aplica en la versión de uno contra uno).

Entretanto, mientras un equipo intenta aproximarse a la canasta, los oponentes tratarán de interceptar los pases. Si el balón sale de la piscina, lo recupera el equipo rival.

Cuando se anota una canasta, el balón pasa al equipo defensor, que ahora atacará. Sin embargo, cuando se falla un lanzamiento y el balón rebota en el aro o el borde de la piscina, los dos equipos lucharán por él. Si lo recupera el equipo defensor, pasará al ataque desde los 5 m, pero si lo recupera el equipo que ha lanzado, puede volver a lanzar sin necesidad de regresar a los 5 m.

No está permitido saltar o empujar al contrario que tiene el balón intentando robarlo o evitar un lanzamiento; eso es falta. Hay muchas maneras de considerar las faltas en baloncesto acuático, pero la más sencilla y justa consiste en detener el juego y lanzar un tiro libre desde una distancia de 3 m. Si se encesta, se anota 1 punto, pero tanto si se encesta como si no, el equipo recupera el balón y continúa jugando desde los 5 m.

El primer equipo que logra sumar 21 puntos gana.

Voleibol acuático

Las salpicaduras están aseguradas mientras se intenta pasar el balón por encima de la red.

Jugadores: 4 o más (número par) y un adulto que supervisa

Edad: 10-14

Lugar: Piscina

Equipo: Balón de voleibol o de playa, red o cuerda y otra cuerda para delimitar la cancha

El voleibol convencional requiere buena coordinación, puntería y fuerza. En el agua es difícil correr, pero es más fácil saltar. Dado que es un juego pensado para jugar donde el agua no cubre, la habilidad para nadar no es crucial. Los niños de 10 años o más, que suelen tener una mejor coordinación mano-ojo y más fuerza en los brazos que los más pequeños, se lo pasan en grande jugando.

Antes de empezar se delimita el área de juego en la parte de la piscina que no cubre tendiendo una cuerda a lo ancho de la piscina y luego colocando una red u otro objeto a media pista para dividirla en dos. Los jugadores forman dos equipos iguales y se sitúan frente a frente a uno y otro lado de la red. Si hay suficientes jugadores, podrían distribuirse en dos o tres filas.

El juego empieza con un jugador situado en la esquina derecha de su cancha sirviendo el balón y pasándolo sobre la red. El balón se golpea con el puño o la mano, pero nunca con la palma abierta, y, una vez en juego, el otro equipo intenta devolverlo, siempre pasándolo por encima de la red, hacia la pista contraria antes de que toque el agua. (El jugador que saca tiene dos intentos para pasar el balón sobre la red y, si falla, el equipo contrario anota 1 punto.) Si se necesita más de un golpe para hacer pasar el balón al otro lado de la red, otro jugador del mismo equipo puede golpearlo. En total se pueden realizar tres golpes, aunque un mismo jugador no puede golpear dos veces seguidas el balón.

Los jugadores pueden mostrarse más atrevidos saltando en el agua que en tierra, ya que la caída y el chapuzón son muy divertidos. El punto termina cuando el balón no pasa la red o sale fuera de la cancha (o cuando un mismo jugador lo toca dos veces seguidas). Si comete el error el equipo que saca, el rival recupera el servicio, y si es el equipo rival, el equipo que saca anota 1 punto y saca de nuevo.

Cada vez que un equipo vuelve a sacar, debe hacerlo otro jugador. El primero en llegar a 21 puntos es el ganador, siempre que lo haga con una diferencia mínima de 2 puntos. Si no es así, el partido continúa hasta que un equipo logra una diferencia de 2 puntos.

Los jinetes

En esta chiflada guerra acuática, los jugadores intentan derribar a sus oponentes del hombro de su pareja.

Jugadores: 4 o más (número par), y un adulto que supervisa

Edades: 8 a 14

Lugar: Piscina

Equipo: Ninguno

«Los jinetes», conocido en Estados Unidos como «Horse and Rider», es una actividad de piscina muy popular. Los niños se divierten una barbaridad montados a los hombros de sus amigos intentando derribar a sus oponentes. Sin embargo, hay que prestar mucha atención a la seguridad. Los niños muy pequeños no deben jugar, ya que los músculos de sus hombros están en pleno desarrollo y aún no son lo bastante fuertes como para soportar el peso de otro niño. Asimismo, los oponentes deben estar lo más equilibrados posible en complexión física, estatura y fuerza. (¡Atención!: ¡un niño nunca debe cargar a hombros a otro más desarrollado físicamente!) A «Los jinetes» se debe jugar en la parte de la piscina que no cubre, con el agua hasta la cintura y lejos de las paredes o de cualquier otra cosa contra la que pudiera golpearse un «jinete» al caer. Por último, las acciones violentas o de excesiva agresividad no están permitidas; el combate se debe limitar a ligeros tirones y empujones.

Para jugar se necesita un número par de jugadores, ya que la pelea se libra por parejas. Cada participante elige a su pareja, y el de menor complexión física se encarama a los hombros del niño mayor. Es aconsejable que el «caballo» sujete al «jinete» por las piernas para que le resulte más fácil mantener el equilibrio.

Las parejas se distribuyen a lo ancho de la piscina en la parte que no cubre. Luego, a una señal del supervisor, cada pareja entra en liza, arremetiendo moderadamente unas contra las otras, empujándose, tirando, forcejeando hasta derribar al jinete. Está terminantemente prohibido golpear, morder, tirar del pelo o cualquier otra actitud antideportiva. Tarde o temprano, alguien se cae. Cuando un jinete se cae, la pareja debe retirarse a un lado de la piscina.

El combate continúa hasta que todos los jinetes menos uno han caído al agua. La pareja que queda en pie gana. Si los jugadores tienen la misma complexión física o muy similar, pueden intercambiar sus posiciones en la ronda siguiente.

Waterpolo-flotador

Las zambullidas y salpicaduras son la clave de la diversión mientras dos equipos compiten para anotar un gol.

Jugadores: 4 o más (número par), y un adulto que supervisa

Edades: 7 a 14

Lugar: Piscina (niños que no sepan nadar: en la parte que no cubre; niños que sepan nadar: pueden jugar donde cubre)

Equipo: Balón de playa; flotador para cada jugador; toallas o marcadores similares para delimitar las porterías (opcional); cuerda de un ancho de piscina de longitud (opcional)

«Waterpolo-flotador» es un extraordinario deporte de equipo para niños que tengan conocimientos básicos de natación. Los jugadores se sientan en flotadores de goma o plástico, de manera que no se requiere ninguna habilidad natatoria especial. En cualquier caso, si los niños no saben nadar, se debe jugar en la parte de la piscina que no cubre. Lo que cuenta es el trabajo en equipo, ya que los participantes intentan pasarse la pelota mientras avanzan, impulsándose con las manos y los pies, hacia la portería contraria, mientras los oponentes procuran bloquearles el paso. Una de las acciones defensivas consiste en derribar a los rivales del flotador.

Antes de empezar, se delimitan dos porterías en lados opuestos de la piscina (a lo ancho) con toallas o marcadores similares situados a 1 m de distancia. Si el partido se disputa en la parte de la piscina que no cubre, se coloca una cuerda para delimitar el área de juego.

Los jugadores forman dos equipos iguales, se sientan cada cual en su flotador y se alinean al lado de su portería. Si hay más de cuatro jugadores, cada equipo puede designar un portero, que deberá permanecer cerca de su área de gol e intentar detener los lanzamientos de los contrincantes. A la señal de «¡Preparados, listos, ya!», el supervisor lanza la pelota en el centro de la piscina y se inicia el juego. Cada equipo emprende una estrepitosa carrera para

ganar la posesión del balón. Los jugadores se pueden impulsar como prefieran siempre que sus culetes permanezcan dentro del flotador. Cuando un jugador se hace con la pelota, puede pasarla a un compañero de equipo o llevarla en su regazo o debajo del brazo mientras avanza hacia la portería contraria. Entretanto, el otro equipo intenta detenerlo de varias formas posibles: interceptando un pase, marcándolo muy cerca para que falle el pase o empujando su flotador. El contacto físico está penalizado con una «falta». En el caso de que quien llevaba el balón caiga al agua, debe soltarlo, y cualquier otro jugador puede apoderarse de él. El jugador que ha caído tiene que montar de nuevo en su flotador antes de reincorporarse al juego.

Para marcar un gol, un jugador debe lanzar la pelota de manera que golpee la pared entre los dos marcadores de la portería. Si falla y la pelota queda en la piscina, quien lo recoja recupera su posesión. Pero si en cualquier momento del partido el balón sale de la piscina o de los límites del área de juego, lo pondrá en juego el equipo que no lo tocó en última instancia y desde el lugar por donde salió. Asimismo, si un jugador desobedece una regla del juego, el equipo contrario recupera automáticamente la posesión del balón en el lugar de la infracción.

Cuando se marca un gol, el otro equipo recupera la posesión de la pelota y lo pone en juego desde uno de los lados de la portería. El partido se puede prolongar hasta que los jugadores acuerdan darlo por finalizado, una vez transcurrido un período de tiempo predeterminado o cuando un equipo alcanza un número de goles previamente acordado. En cualquier caso, quien ha marcado más goles es el ganador.

Polo acuático

Este juego de competición pone a prueba la resistencia de los jugadores al nadar y su habilidad para lanzar la pelota.

Jugadores: 4 o más (número par), y un adulto que supervisa

Edades: 9 a 14 (sólo para buenos nadadores)

Lugar: Piscina

Equipo: Balón de playa; toallas o marcadores similares para definir la portería; cuerda de un ancho de piscina de longitud (opcional)

En esta versión simplificada de «Waterpolo», los miembros de los equipos driblan y pasan un balón de playa mientras nadan hacia la portería contraria con la intención de marcar gol. Es un juego ideal para practicarlo en la parte de la piscina que cubre y, por lo tanto, requiere un excelente nivel de natación. El jugador que está en posesión de la pelota no puede apoyarse en el fondo de la piscina con los pies ni tan siquiera tocar los lados. (Como es natural, estas reglas se pueden atenuar un poco para los niños menos expertos.)

Antes de empezar, se coloca una cuerda a lo ancho de la piscina, en la parte que cubre, para delimitar la cancha, y se definen dos porterías en los lados opuestos de la misma mediante dos toallas o marcadores similares, a 1 m de distancia entre los dos.

Los jugadores forman dos equipos iguales y se distribuyen en lados opuestos de la piscina, a izquierda y derecha de su portería. Si hay más de cuatro jugadores, cada equipo puede designar un portero que defienda la portería. A la señal de «¡Preparados, listos, ya!», el supervisor lanza el balón en el centro de la piscina y los miembros de los dos equipos se apresuran a apoderarse de él. Quien lo consigue puede pasarlo a un compañero de equipo o driblarlo, empujándolo con una mano mientras nada. El objetivo es aproximarse lo suficiente a la portería contraria como para que algún compañero pueda realizar un lanzamiento a puerta, al tiempo que los oponentes, a su vez, tratan de bloquear el avance o interceptar un pase o dribbling. Sin embargo, el contacto físico está explícitamente prohibido.

Para marcar un gol, un jugador debe lanzar el balón de manera que golpee en la pared de la piscina entre los marcadores de la portería. Si falla y la pelota queda en el agua, cualquiera puede recuperar su posesión. Sin embargo, si en cualquier momento del partido el balón sale de la piscina o de los límites del área de juego, el equipo que no lo tocó en última instancia gana la posesión desde el lugar de donde salió. Asimismo, si un jugador desobedece una regla el equipo contrario recupera automáticamente la posesión de la pelota en el lugar de la infracción.

Cuando se marca un gol, lo pone de nuevo en juego el equipo contrario desde un lado de la portería. El partido puede continuar hasta que los jugadores decidan darlo por finalizado, aunque es una buena idea establecer un breve descanso después de cada gol o cada 5 minutos. El equipo que marca más goles gana el partido.

Juegos para viajes

Cualquiera que haya viajado con niños estará más que familiarizado con la pregunta «¿Cuándo vamos a llegar?». La respuesta es invariablemente la misma: «¡Aún no!». Los juegos pensados para los viajes en coche son verdaderos salvavidas para los niños revoltosos y también para los atribulados adultos. Aunque muchos juegos se pueden organizar en el coche, el tren o el avión, los que se incluyen en este capítulo son, en su mayor parte, ideales para el automóvil o el autocar, con algunas excepciones, como por ejemplo «Las canciones», al que se puede jugar en casi cualquier parte. La mayoría de estos juegos requieren que los participantes se concentren en cosas que ven fuera del vehículo, tales como matrículas o vallas publicitarias. Casi nunca se necesita equipo extra, aunque en algunos casos los mapas o el lápiz y papel sí son necesarios, tal y como se indica en cada apartado.

Abecedario

Los jugadores nombran objetos que ven por orden alfabético.

Jugadores: 2 o más

Edades: 4 a 14

Lugar: Coche, autocar o tren

Equipo: Ninguno

«Abecedario» es un juego perfecto para un largo viaje en coche, autocar o tren, durante el cual los niños disponen de muchísimo tiempo para mirar por la ventanilla. También constituye una excelente herramienta de aprendizaje para los niños que están empezando a familiarizarse con las letras.

En «Abecedario» los jugadores intentan descubrir en el paisaje objetos cuyo nombre empiece por cada letra del abecedario, por orden. Primero los participantes miran por la ventanilla (las cosas que hay en el interior del coche no cuentan) en busca de algo que empiece por la letra «A». Fácil, ¿verdad?: automóvil por ejemplo.

Habitualmente se juega como competición. En esta versión, cuando el jugador identifica un objeto, lo dice inmediatamente y pasa a la letra siguiente. (Una vez nombrado un objeto, nadie puede repetirlo.) Letra a letra, los niños van avanzando en el abecedario. Bosque podría valer para la «B», cobertizo para la «C», etc. También se puede usar una letra de una matrícula o una señal de tráfico. La «D» en el rótulo de McDonald's por ejemplo. Las letras difíciles o prácticamente imposibles, como la «K», la «Q», la «X», la «Y» y la «Z» se pueden eliminar.

En la versión competitiva, el primer jugador que completa el abecedario gana. También se puede jugar sin competir, en cuyo caso cada jugador debe encontrar, por turnos, un objeto que empiece por la siguiente letra del abecedario.

Vallas publicitarias

En esta cacería de letras, sólo valen los rótulos y las vallas publicitarias.

Jugadores: 2 o más

Edades: 6 a 14

Lugar: Coche, autocar o tren

Equipo: Ninguno

Cuantas más vallas publicitarias haya durante el viaje, más interesante será el juego. Los niños deben seguir, por orden, todas las letras del abecedario en los rótulos y vallas publicitarias que vean al pasar, y también en las señales de tráfico. Si no aparece nada similar a «Quesos y productos lácteos», los jugadores podrían pasar cien kilómetros buscando una «Q». Entretanto, deben estar atentos a posibles alternativas, tales como «equipo» o «¡Qué vacaciones de ensueño pasará en la Costa Brava!».

Para jugar, los participantes están atentos para descubrir rótulos (las matrículas de los coches o cualquier otra cosa relacionada con el automóvil no cuenta) en los que identificar las letras de la «A» a la «Z». Cuando uno encuentra una, nombra el rótulo en voz alta: «Visite Bodegas Pepe».

Una vez identificada una letra, pasa a la siguiente del abecedario.

Sólo se puede utilizar una letra de cada valla, y cada valla sólo puede ser utilizada por un jugador. Si varios niños andan en busca de una misma letra, quien la nombra más deprisa se la lleva. El primer jugador que completa el abecedario es el ganador. Los participantes también pueden acordar trabajar en equipo.

Lista de viaje

Los jugadores rastrean el paisaje en busca de los objetos que aparecen en su lista.

Jugadores: 2 o más, y un adulto o niño mayor que prepara la lista

Edades: 6 a 14

Lugar: Coche, autocar o tren

Equipo: Lápiz y papel para cada jugador

«Lista de viaje» es una forma extraordinaria de mantener ocupados a los niños (¡durante horas!) mientras viajan en coche, autocar o tren. Aunque es más interesante si el trayecto pasa por diferentes tipos de paisaje (ciudad y campo, por ejemplo), casi cualquier viaje ofrece innumerables oportunidades para disfrutar de esta «cacería».

Antes de empezar el viaje, un adulto o un niño mayor prepara la lista y hacen una copia para cada jugador. Dependiendo de su edad, la lista puede ser sencilla o muy larga y detallada («caballo negro», por ejemplo, en lugar de simplemente «caballo»). La lista debe adaptarse al tipo de terreno por el que van a viajar. Sería absurdo incluir «mar», por ejemplo, si todo el viaje transcurrirá por la campiña.

Para jugar, cada niño recibe una copia de la lista. El primero que ve algo incluido en la lista lo dice en voz alta y lo marca con una cruz. Sólo el niño que identifica una «casa de ladrillo», por ejemplo, se asigna el objeto, aunque los demás pueden nombrar otras casas de ladrillo si encuentran más durante el trayecto. Al final del viaje, el jugador que ha identificado más objetos de la lista es el ganador. Ni que decir tiene que si uno de ellos tiene la suerte de completar la lista antes de llega a destino es declarado vencedor.

Automóvil 21

Los jugadores observan las matrículas para encontrar los números del 1 al 21.

Jugadores: 2 o más

Edades: 4 a 12

Lugar: Coche o autocar

Equipo: Ninguno

Como su propio nombre indica, «Automóvil 21» es un juego ideal para los viajes en coche y autocar. El objetivo consiste en ser el primero en encontrar los números 1 a 21, por orden, en las matrículas de los vehículos que pasan. Es un juego escasamente complicado para los niños mayores, pero una buena forma de que los más pequeñines aprendan la numeración.

Mientras avanzan hasta el 21, los números que ven se pueden utilizar de diferentes maneras. Valen los dígitos, doble dígitos, triples, etc. Asimismo, varios números colocados en secuencia en una matrícula se pueden sumar. Si por ejemplo una matrícula tiene el número 415, los dígitos individuales (4, 1 y 5) son válidos para todos los jugadores que necesiten uno de ellos, pero también vale el 10, ya que los tres dígitos suman 10; y también 19, pues 4 más 15 es igual a 19.

Parte de la diversión de esta competición reside en la búsqueda de combinaciones que permitan obtener el número que se busca.

Los jugadores anuncian los números a medida que los van encontrando, señalando el coche que pasa y haciendo, si es necesario, los cálculos también en voz alta. Una matrícula sólo puede usarla un niño.

El primero que llega a 21 gana. También se puede jugar sin competir, en cuyo caso cada participante sólo debe intentar encontrar el número que le toque cuando le llegue el turno.

Si se desea, se puede continuar jugando empezando de nuevo por el 1. Los jugadores mayores pueden optar por prolongar la secuencia numérica.

Bingo sobre ruedas

Los jugadores prestan atención a las matrículas para localizar los números en sus cartones de Bingo.

Jugadores: 3 o más

Edades: 4 a 14

Lugar: Coche o autocar

Equipo: Lápiz y papel para cada jugador

«Bingo sobre ruedas» es un juego de bingo simplificado e ideal para mantener entretenidos a los niños en los viajes largos.

Antes de empezar, cada jugador prepara un cartón de bingo dibujando un gran cuadrado dividido en nueve casillas de igual tamaño (véase la ilustración). A continuación se escriben números diferentes de dos dígitos en cada casilla, aumentando en valor de izquierda a derecha y disminuyendo de arriba a abajo. (De este modo, un número siempre será inferior a su inmediato superior.) Los cartones se pueden preparar antes de emprender el viaje en el caso de los niños más pequeños o para quienes tengan dificultades para escribir con el coche en marcha.

Se designa un jugador como «voceador». Si hay más de dos jugadores, el voceador no debería participar en el juego. El voceador inicia el juego seleccionando una matrícula y anunciando un número de dos cifras, y luego escribiéndolo en un papel para evitar

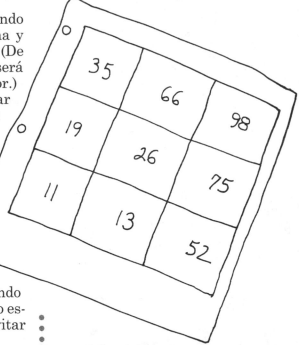

repeticiones. Si el número aparece en el cartón de un jugador, lo tachará con una cruz.

El primero que consigue tachar una línea de números, ya sea vertical, horizontal o en diagonal, dice «¡Bingo!». Es el ganador, aunque el voceador deberá asegurarse de que no se han cometido errores. Para un viaje más largo se puede proponer que se tachen todos los números del cartón.

Diez parejas

En este juego de búsqueda de números, los jugadores intentan encontrar matrículas con parejas de dígitos.

Jugadores: 2 o más

Edades: 6 a 14

Lugar: Coche o autocar

Equipo: Ninguno

Las matrículas automovilísticas ofrecen oportunidades de juego prácticamente ilimitadas, y «Diez parejas» es un ejemplo de ello. En este juego los niños tienen que buscar matrículas que contengan dobles dígitos (o si tienen suerte, tri-

ples) de un número elegido al azar. «Diez parejas» constituye una exce-

lente práctica de suma y desarrolla la memoria de los más pequeños.

Cada jugador elige un número diferente del 1 al 9. Éste será el número al que deberán prestar atención durante todo el juego. El objetivo es detectar todas las matrículas que contengan, por lo menos, dos veces el número seleccionado.

Cada vez que alguien ve una matrícula con sus dos cifras (484-DAW, por ejemplo, para un jugador que eligió el 4) lo anuncia y anota 1 punto. Si los números aparecen consecutivamente (B58-447), anota 2 puntos, y si se repiten tres veces (EK-444), gana 3 puntos. Si una matrícula contiene dobles o triples para más de un jugador, todos puntúan.

Cada niño debe contabilizar mentalmente su marcador. El primero que llega a 20 gana.

Matrículas y palabras

En este juego, en el que prima la creatividad, los jugadores usan las letras de las matrículas para formar palabras.

Jugadores: 2 o más

Edades: 6 a 14

Lugar: Coche o autocar

Equipo: Lápiz y papel para cada jugador

«Matrículas y palabras» es un juego versátil al que se puede jugar en dos niveles de dificultad.

En la primera modalidad, para niños de 6 a 8 años, los participantes escriben la misma palabra de cuatro o cinco letras que hayan elegido ellos u otra persona. A continuación empiezan a observar las matrículas de los coches que pasan en busca de las letras que forman la palabra. Las letras se deben localizar en secuencia. (Si la palabra seleccionada es, por ejemplo, «gato», el niño debe buscar la «G»,

luego la «A», la «T» y la «O».) Cada letra debe proceder de una matrícu-

la diferente, y dos jugadores no pueden reclamar una letra de la misma matrícula. El primero que completa la palabra es el ganador.

En la versión más sofisticada del juego, se elige una o dos matrículas y los participantes deben intentar formar palabras usando sus letras. Por ejemplo, con la matrícula 179-SNR, los niños pueden formar «sonar», «sanar», etc. El primer jugador que piensa una palabra anota 1 punto. Si dos o más jugadores dicen una palabra a la vez, gana la más larga.

El juego continúa durante tantas rondas como se desee, y el que consigue una puntuación más alta es proclamado Campeón de Matrículas y Palabras. También se puede competir. En tal caso, el primero que alcanza una puntuación predeterminada (por ejemplo, 10) es el ganador.

Frases

En esta variación más difícil de «Matrículas y palabras», los jugadores compiten para formar frases usando las letras de las matrículas, por orden, como iniciales de las palabras que componen la frase. Por ejemplo, T6B-48C4 (T-B-C) se podrían utilizar como iniciales en «Tu boca carmín», «Tres burros cojos», etc., y la matrícula 9SN-ER9N (S-N-E-M-G) en «Su nariz es muy grandota». Las frases pueden ser expresiones familiares o incluso inventadas con tal de que tengan algún sentido. La imaginación y creatividad en la combinación de palabras siempre son bien recibidas.

Es una buena idea empezar con frases de tres o incluso dos letras. El primer jugador que completa una frase anota 1 punto. Al igual que en «Matrículas y palabras», el juego puede continuar hasta que se acuerde darlo por finalizado, y quien haya conseguido una mayor puntuación será el ganador. También se puede competir hasta un número predeterminado de puntos, en cuyo caso el primero que alcance esa puntuación gana.

Cien puntos

Este juego de matemáticas motorizadas requiere agilidad mental.

Jugadores: 2 o más

Edades: 7 a 12

Lugar: Coche o autocar

Equipo: Ninguno

«Cien puntos» es una lección de matemáticas camuflada que requiere vista de lince, agilidad mental y habilidad para sumar. Una buena memoria también ayuda, ya que los jugadores deben recordar su puntuación ronda tras ronda. El objetivo del juego es, como su propio nombre indica, ser el primero en anotar 100 puntos con números de matrícula de los coches que pasan.

Los niños se turnan observando las matrículas y sumando todos sus dígitos. Veamos un ejemplo. El primer jugador identifica la matrícula 825-DWG, que daría un total de 15 (8 + 2 + 5). El segundo jugador sumaría los dígitos de la segunda matrícula, etc.

Cuando todos han tenido su turno, el primero empieza de nuevo, añadiendo la suma de su próxima matrícula al total de la ronda anterior. Si la matrícula es 7Q7-9Z, sumará 23 (7 + 7 + 9) a los 15 que ya tenía, y su nueva puntuación será de 38 puntos. Cuando alguien llega a 100 puntos (o más), el juego continúa hasta terminar la ronda (así todos tienen el mismo número de turnos), y luego el que ha obtenido el mayor número de puntos gana.

Dado que probablemente no habrá ningún profesor de matemáticas a mano, los jugadores deberán encargarse de verificar los cálculos de los demás.

Matrículas y ciudades

Los jugadores rivalizan para «coleccionar» matrículas de todas las ciudades.

Jugadores: 2 o más, y un adulto o niño mayor que prepare las listas

Edades: 6 a 14

Lugar: Coche o autocar

Equipo: Lápiz y papel para cada jugador

«**L**os 50» es un juego de búsqueda visual de matrículas de todas las ciudades en el mapa. No lo dudes, este juego mantendrá ocupados a los niños durante horas además de proporcionarles lecciones informales de geografía y observación. Es necesario que los niños sepan leer bien.

Antes de empezar, un adulto o niño mayor prepara una lista de las ciudades del país para cada jugador. Incluso puede sugerirles que compitan para ver quién es capaz de nombrar más. La mejor manera de confeccionar la lista es escribir el nombre de las ciudades por orden alfabético en el lado izquierdo de la hoja. Los participantes van anotando puntos a medida que localizan matrículas de diferentes ciudades.

Cuando todos los jugadores tienen su lista, empiezan a observar las matrículas de los coches que pasan por la carretera o autopista. No importa el orden, pero sólo el jugador que descubra una puede reclamarla para incluirla en su lista. Los competidores anotan 1 punto (también se puede acordar 2 o 3 puntos dependiendo de la duración del viaje) al encontrar una matrícula de una ciudad determinada, y otro punto más por cada matrícula extranjera.

Al término del viaje, cada cual suma sus puntos, y el jugador con mayor puntuación es el ganador.

Matrículas en marcha

Es un viaje imaginario por el país a través de las matrículas.

Jugadores: 2 o más

Edades: 9 a 14

Lugar: Coche o autocar

Equipo: Mapa del país; lápiz y papel (opcional)

«**M**atrículas en marcha» es un juego interesante y educativo para niños mayores que no sólo los mantiene entretenidos, sino que también les enseña geografía, inter-pretación de mapas y planificación de viajes. Cada jugador planifica un viaje imaginario por el país, que luego deberá completar identificando matrículas de coches a medida que vaya cruzando provincias.

Para preparar el juego, cada niño señala el punto de partida (por ejemplo, Barcelona) y un destino (por ejemplo, Málaga). Para iniciar el viaje, cada jugador debe encontrar una matrícula de la provincia de partida. Sólo un jugador puede reclamar cada matrícula, de manera que el primero en nombrarla se la queda.

Una vez localizada una matrícula de la provincia de partida (fácil, pues casi todos los coches la llevan), buscará otra de la siguiente provincia hacia su destino. Es imprescindible disponer de un mapa del país para dirimir disputas a lo largo del trayecto. La ruta de Barcelona a Málaga sería: Barcelona, Tarragona, Lleida, Castellón, Valencia, Alicante y Málaga. Los niños siguen intentando encontrar matrículas de las sucesivas provincias, una tras otra. Cada cual debe estar atento a lo que hacen sus contrincantes; podrían hacer trampa y saltarse una provincia, por ejemplo.

El primer jugador que llega a destino es el ganador. Si nadie ha conseguido completarlo, quien haya llegado más lejos gana.

Póquer de matrículas

Los números de las matrículas proporcionan las «manos» en este juego de póquer sin cartas.

Jugadores: 2 o más

Edades: 9 a 14

Lugar: Coche o autocar

Equipo: Lápiz y papel para cada jugador

Es difícil jugar a las cartas en la carretera, pero «Póquer de matrículas» es un magnífico sustituto. El objetivo es reunir «manos» de póquer a partir de las letras y los números de matrículas de coche. No se apuesta ni se puede ocultar la «mano». Los niños deberían conocer bien las cartas de póquer y sus valores (véase la página siguiente). Este juego desarrolla la memoria y la capacidad de pensamiento abstracto.

Para jugar, los participantes buscan matrículas con letras y números que formen una «mano» de póquer. Cada dígito representa una carta numerada de una baraja estándar (0 vale 10), y algunas letras representan las cartas: «J» es Jack, «Q» es Reina, «K» es Rey y «A» es As. Las demás letras no cuentan. En este juego no hay palos (picas, corazones, diamantes y tréboles).

Como en el póquer normal, los jugadores buscan matrículas con las que formar su «mano», reuniendo doses, treses, cuatros, etc. (cuantos más, mejor). Cuando un niño descubre una matrícula con buenas «cartas», la reclama y anuncia la «mano». Luego lo escribe en una hoja de papel. Los jugadores deben disponer de un tiempo límite para elegir una «mano», o bien tres matrículas, pues de lo contrario alguien podría esperar hasta reunir cuatro números o letras iguales.

En una carretera o autopista transitada, un minuto suele ser suficiente para completar una «mano». Dos jugadores no pueden elegir la misma matrícula. Cuando cada cual ha elegido sus tres matrículas o ha transcurrido un minuto, comparan sus «manos». Veamos una lista de posibles «manos» en el «Póquer de matrículas»:

Pareja: Dos de cualquier número (KS-858), por ejemplo).

Doble pareja: Dos pares de números o letras iguales (669-KMK, por ejemplo).

Tríos: Tres números o letras iguales (725-677, por ejemplo).

Dos-Tres: Tres de un tipo y dos de otro (JJ3-633, por ejemplo).

Cuatros: Cuatro números o letras iguales (G44-244, por ejemplo).

Póquer: Cinco números (o números y letras combinados) que se puedan ordenar en una secuencia perfecta (SQJ-098, por ejemplo, que contiene Reina, Jack, Diez, Nueve y Ocho).

El jugador con la mejor «mano» gana. A falta de combinaciones, quien tiene la «carta» más alta es el ganador (438-KWG gana a 921-QED, ya que un Rey gana a una Reina). Los ases valen 11. Si dos jugadores tienen combinaciones de igual valor, la segunda «carta» más alta en cada «mano» determina el ganador.

Las canciones

Los jugadores intentan identificar canciones oyendo sólo unas cuantas notas.

Jugadores:	2 o más
Edades:	8 a 14
Lugar:	Cualquiera
Equipo:	Ninguno

«**L**as canciones» desafía a los jugadores a identificar canciones oyendo sólo las primeras notas de la melodía. Aunque se puede jugar en cualquier lugar, es ideal para un viaje. Un buen oído musical resulta de gran ayuda, al igual que un amplio conocimiento musical.

Un jugador piensa una canción y tararea o silba la primera nota. Los

demás deben intentar adivinar de qué canción se trata. Lógicamente, con una nota nadie lo conseguirá. El «cantante» añadirá notas, una a una, hasta que alguien acierte el título. Quien identifica la canción es el ganador y se convierte en «cantante» en la siguiente ronda.

¡Lo encontré!

Los jugadores compiten por descubrir el mayor número de ejemplos del coche que han elegido.

Jugadores: 2 o más

Edades: 4 a 12

Lugar: coche o autocar

Equipo: Lápiz y papel para anotar la puntuación (opcional)

En «Lo encontré» cada jugador tiene una oportunidad para localizar en la autopista su coche y color favoritos. Los participantes deben ser lo bastante mayores para reconocer los modelos, pero el juego se puede simplificar muchísimo para los más pequeños dándoles a elegir sólo el color.

El juego empieza con cada jugador seleccionando un color y modelo de automóvil, como por ejemplo un Volkswagen rojo o un Ford negro. Dos jugadores no pueden elegir la misma combinación en una misma ronda. Y ahora, a mirar por la ventanilla.

Cuando un participante descubre un vehículo que se ajusta a la combinación que ha seleccionado, exclama: «¡Lo encontré!» y anota 1 punto. A continuación, cada cual elige un nuevo modelo y color y se inicia una nueva ronda. El niño que consiga la mayor puntuación después de cinco rondas gana.

Color

Esta variación se puede jugar con dos o tres niños (de 7 a 12 años). Cada uno de ellos elige un color primario (rojo, azul, verde o amarillo). Los jugadores anotan puntos por cada coche del color que han elegido. Pero hay algo más: los anotarán no sólo por cada vehículo de este color (incluyendo los multicolores), sino también por descubrir coches de una tonalidad que contenga el color primario. En el caso de un automóvil violeta, por ejemplo, anotará 1 punto el jugador del rojo y el del azul. Todos los participantes pueden anotarse puntos con vehículos de color marrón, gris y negro (todos los colores mezclados). Un vehículo de un color determinado puede valer para más de un jugador. El primero que anota 10 puntos, o el que tiene la mayor puntuación transcurrido un período predeterminado de tiempo, es el ganador.

¿Qué coche es?

Los jugadores compiten para ser el primero en identificar correctamente el modelo de los coches.

Jugadores: 2 o más	
Edades: 9 a 14	
Lugar: Cualquiera	
Equipo: Ninguno	

«¡Qué coche es?» despierta el interés de los niños aficionados a los coches y que conocen bien los modelos, y a fe que son innumerables.

El objetivo del juego es identificar el mayor número posible de automóviles, tanto si se trata de Citroën, Ford, Peugeot, Cadillac o Mercedes Benz. Al aproximarse uno, los jugadores compiten por ser el primero en decir de qué modelo se trata. Cada participante dispone de una sola oportunidad para acertar, y los demás confirmarán o no la validez de su respuesta. Cada acierto vale 1 punto.

El juego continúa hasta que los niños deciden darlo por finalizado o una vez transcurrido un período predeterminado de tiempo. Al final, quien ha conseguido la mayor puntuación es el ganador. Otra alternativa consiste en establecer una puntuación máxima (por ejemplo, 10), en cuyo caso gana el jugador que la alcanza primero.

Tiempo y distancia

En este apasionante juego para viajes, los participantes predicen la distancia hasta un lugar determinado.

Jugadores: 2 o más, y el conductor que controla el cuentakilómetros	
Edades: 9 a 14	
Lugar: Coche	
Equipo: Cuentakilómetros o reloj	

«Tiempo y distancia» es un interesantísimo desafío para niños mayores que comprenden los conceptos de tiempo y distancia. El objetivo es adivinar la distancia a la que se halla un lugar determinado, ya sea en kilómetros o en minutos. Con un poco de práctica, es probable que los jugadores se asombren de la precisión de sus predicciones.

Primero alguien elige un lugar o algo en el horizonte. Puede ser cualquier cosa, desde un puente hasta una valla publicitaria, un edificio o un silo. Cuanto más despejado es el día, tanto mejor, ya que los niños pueden ver las cosas que están más lejos. Una vez elegido el lugar, cada participante intenta adivinar la distancia que habrá que recorrer hasta llegar al destino. Cada jugador debe elegir una distancia distinta. El conductor verificará el cuentakilómetros y determinará la distancia real.

También se puede jugar adivinando el tiempo que se tarda en llegar a un lugar determinado en lugar de los kilómetros recorridos. En este caso, una persona cronometrará el trayecto con un reloj cuando todos hayan realizado una predicción en minutos.

El jugador que se acerque más en tiempo o distancia es el ganador.

¿Qué distancia hemos recorrido?

En esta versión, los participantes intentan estimar la distancia que han recorrido desde un lugar determinado. El conductor dará la señal de partida, y luego, transcurrido un buen rato, preguntará (asegurándose de que no puedan ver el cuentakilómetros): «¿Qué distancia hemos recorrido?». Cada jugador dirá el número de kilómetros que cree haber recorrido, y el que se aproxime más a la distancia real es el ganador.